Un beau soir sans pudeur

Paul Verguin

Un beau soir
sans pudeur

FRANCE LOISIRS
123, boulevard de Grenelle, Paris

© Jean-Jacques Pauvert, 1993.

ISBN : 2-7242-7279-X

Il remonta tout doucement, entra dans la chambre où je dormais – sans dormir – et, à pas de loup, vint s'étendre près de moi. En sentant sa main se poser sur ma poitrine, j'entrai dans ce délire qu'on éprouve parfois en dormant la tête en bas : il vous semble que quelque chose de lourd, bien lourd, vous pèse sur le cœur, et ne vous laisse libre ni de parler ni de bouger.

Pietro Aretino

Ragionamenti (1533)

Vendredi

Il était près de 21 heures comme toujours à la sortie des réunions de direction. J'étais sans voiture, cette semaine, et Loïc me raccompagnait.

– Muriel, je voulais vous demander : je pourrais vous confier un secret ?

J'avoue que ça m'a fait quelque chose. Je n'osais pas répondre trop vite. Il ne suffit pas de dire oui.

Un autre m'aurait envoyé carrément : « Muriel, vous savez garder un secret ? » Mais Loïc avait tourné sa phrase de façon à ne pas mettre en doute ma discrétion. Ça m'excitait encore plus. *Confidences d'un garçon charmant,* voilà ce qu'on aimerait lire en rentrant chez soi.

Dans la voiture, jusque-là, j'étais assise bien droite, regardant devant moi. J'ai remué sur mon fauteuil pour me réinstaller de biais, orientée vers lui. Il sentait certainement mon regard sur son profil. Et moi, dans cette nouvelle position, je sentais mon corps beaucoup plus proche du sien. J'ai cette maladie : il ne m'en faut pas beaucoup pour me sentir indécente, et je rougis. J'espère toujours que ça ne se voit pas, mais je me retrouve assez souvent dans ce genre de situation où il s'en faudrait d'un rien, j'ai l'impression, pour qu'on ouvre les bras, les jambes, la chemise, le cœur – pour qu'on devienne soudain totalement intimes, un homme et moi. Je veux dire, un homme vraiment charmant assis à côté de moi par hasard. Enfin, par hasard... Là, d'ailleurs, le bras gauche me démangeait. Je lui aurais bien posé la main sur l'avant-bras droit, pendant qu'il conduisait, pour lui infuser la foi en ma faculté de garder les secrets. Je n'ai pas osé. Je me suis accordé un petit délai :

– Un secret ?...

J'aurais voulu que le ton de ma voix lui laisse entendre plus précisément : « Je ne prends pas ça à la légère. On ne doit pas se presser, pour faire un serment. »

Je sentais que, de son côté, il n'osait pas trop tourner la tête vers moi – mais si, voilà, il l'a fait, avec un petit sourire attentif, en vitesse à cause des dangers supposés de la circulation.

– Vous n'êtes pas sûre ? (Prononcé avec une gentillesse amusée tout à fait transparente : « J'ai une grande confiance en toi et je suis certain que tu sais garder un secret, et moi j'ai besoin de te montrer que je ne suis pas homme à faire des confidences à la va-vite.)

J'ai répondu, légèrement enrouée :

– Je crois que si.

Il s'est abstenu de me renvoyer avec ironie : « Vous croyez que vous êtes sûre ? »

Il a jeté un coup d'œil au rétroviseur et freiné au feu orange pour s'arrêter tranquillement au feu rouge - mille chauffards auraient eu le temps de passer. Il a de nouveau tourné la tête vers moi, cette fois pour une ou deux bonnes minutes. Je voulais sourire mais je n'y arrivais pas. Je sentais même un infime tremblement au coin de ma bouche. Je ne suis pas très jolie, je ne sais pas m'habiller et je suis incapable de dissimuler une émotion.

Il suffit de la côtoyer quelques heures pour savoir qu'elle est sensuelle et généreuse. Or je la vois cinq jours par semaine depuis plus d'un an. Son humour et son travail manquent un peu de mesure mais elle est gaie, chaleureuse, courageuse. C'est quelqu'un de très bien, une belle personne. Elle m'excite drôlement depuis un bon moment.

En plus, je me maquille toujours trop, c'est plus fort que moi. Et là, dans la voiture de Loïc, le feu rouge du carrefour m'éclairait et me chauffait les joues comme une lampe.

Il a insisté sagement :

- Je pourrais vous confier un secret à garder vraiment ? Mais alors à garder-garder vraiment-vraiment ?...

Mais lui aussi, maintenant, avait la voix qui flanchait - presque une voix d'enfant attendrissant.

J'ai croisé les jambes et, toujours à demi tournée vers lui, je me suis bien recalée dans le fauteuil. Je les ai croisées sans ostentation, sans provocation, juste pour être mieux assise, et même, plus pudique, mieux concentrée – prête à rassembler mes forces pour accomplir l'acte magique de lui donner confiance en moi. N'empêche, ma jupe est remontée, dans le mouvement, et je n'ai pas eu un geste pour la repousser sur mes genoux.

Elle a une paire de cuisses qui lui va à la perfection. Trop épaisses et comme incertaines, robustes d'aspect et pourtant fragiles de texture à l'œil nu. Elles me font envie d'une façon très particulière, à la fois lourdes et légères dans mon désir comme dans un sacré rêve. Non seulement Muriel a des formes un brin trop féminines, la poitrine et les cuisses trop importantes, mais la chair elle-même semble excessivement vulnérable. On a peur qu'elle prenne très vite de l'âge parce qu'elle paraît déjà mûre en pleine jeunesse. J'ai souvent l'intuition que tous les hommes du bureau ont grande envie de lui faire cueillir un maximum de roses avant la coupure de midi. Entendons-nous bien quand je dis cuisses « trop » importantes, en fait ce n'est pas trop. C'est presque trop. Ou plutôt, c'est un tout petit peu trop mais ça lui va bien, alors ça n'a rien de moche. Tout le monde en mangerait.

Je me suis retenue de lui demander ce qu'il entendait par « garder vraiment ». Je préférais l'interroger du regard, comme si nous nous enfer-

12

mions déjà ensemble dans le silence qu'il me demandait sur un secret que je ne connaissais pas encore.

Le feu est passé vert. Il a démarré, et cela lui a permis de me parler sans me regarder :

– Simplement ne jamais le dire à personne, mais vraiment jamais, même si on se perd de vue pour toujours, et vraiment à personne, même à des gens que l'autre ne connaîtra jamais. Et quand on meurt, un vrai secret, on l'emporte sans rien dire, comme un kilo de poudre blanche dans un bagage cabine.

J'ai été la première surprise de mon propre éclat de rire. Lui aussi a ri assez fort, comme si c'était moi, pas lui, qui venais d'avoir une comparaison inattendue. Nous nous sommes dévisagés comme deux gros malins. Il m'a demandé :

– Alors, d'accord ?

Je suis redevenue sérieuse presque instantanément et, cette fois, je n'ai pas eu peur de lui poser la main sur la manche :

– Oui.

Je sentais ma réponse exacte passer dans mes doigts, transpercer le tissu et lui remonter dans le bras comme un courant électrique chargé d'un télégramme : D'ACCORD NOUS SECRET.

Il devinait bien que c'était mûr pour lui, ces derniers temps, au bureau. Mais comme tous les garçons réellement charmants, il avait du mal à y croire.

Elle garde la main posée sur mon avant-bras. C'est chaud et lourd. Je déclare comme si c'était elle qui me demandait mon accord :

– Bon !

J'essaie de ne pas gonfler la poitrine, de ne pas respirer.

J'ai eu alors une intuition – plutôt une sensation, assez intense : j'étais certaine que ma main, si elle abandonnait son avant-bras pour aller, en remontant sur l'épaule, se poser en douceur sur sa nuque, lui déclencherait des frissons jusqu'au bout des doigts de pied. Ça me paraissait à la fois évident et fou. Mais c'était bien trop tôt. Loïc allait me confier un secret concernant quelqu'un du bureau – peut-être quelque chose de gratiné – et ça nous permettrait de parler tous les deux, de devenir plus proches. Même faire l'amour une seule fois, c'est meilleur avec beaucoup d'intimité morale et affective. Enfin, je parle pour moi. J'ai connu une foule de filles capables de succomber à une armée d'abrutis dont elles ignoraient même la langue natale.

J'ai ôté ma main de son bras. J'ai tiré gauchement sur ma jupe, moins pour cacher mes cuisses que pour me donner une contenance.

C'est très curieux. Encore une fois, Muriel n'est pas une grosse fille, et c'est quelqu'un de sympathique, de direct, qui ne fait pas de manières, et pourtant, tout ce qui est féminin chez elle, physiquement et moralement, semble exagéré. Elle est jeune et ses cuisses paraissent

14

trop mûres, et pourtant, on ne voudrait surtout pas qu'il y en ait moins. Après tout, il existe aussi des hommes trop râblés, trop poilus, mais très tranquilles, et dont, finalement, les filles aiment bien le côté singe.

Je me déglinguais vite. Elles commençaient à picoter sérieusement, les grosses cuisses de Muriel. Encore une intuition – non, maintenant, une image, une sorte d'hallucination. La bouche de Loïc pendant de longues, longues minutes. Moi dans un grand fauteuil large et bas, avec des accoudoirs confortables. Dans tous les creux et sur toutes les bosses de mes cuisses, des baisers, il en donnerait à n'en plus finir, aussi ému que si c'était lui qui en recevait à foison dans les coins les plus vulnérables et secrets de son corps d'homme élancé mais pas tellement athlétique. Je m'empêcherais de gémir pour l'entendre gémir, et tout d'un coup ce serait moi qui gémirais le plus fort – quand il coulerait ses doigts sous la pliure de mes genoux pour me remonter les cuisses un peu plus, pour descendre la bouche un peu plus et...

– Bon, Muriel, vous me jurez de garder le secret ?

J'ai légèrement sursauté. Je devais encore faire une drôle de tête.

– Oui, Loïc.

Nous étions de nouveau arrêtés à un feu rouge.

Avait-il un espoir pour le soir même ? Il savait que je vivais avec mes deux jeunes enfants.

15

Était-il du genre capable de ne pas faire de bruit derrière une cloison mince ? Moi, non.

Bon, attention à ne pas se presser. N'oublie pas que ça ne te réussit jamais. Par la force des choses, tu en es même arrivé à aimer prendre ton temps, à ne jamais miser sur le jour même, comme si on ne pouvait faire l'amour avec toi que sur rendez-vous – comme si tu étais surchargé, débordé, surmené, alors que c'est justement l'inverse. D'accord, ce n'est pas une bonne raison pour laisser passer le bon moment.

Il avala fort sa salive :

– C'est un peu difficile à dire...

J'étais impatiente de savoir, ou plutôt, à présent, impatiente tout court.

Je démarre au feu vert et j'y vais à fond :

– Le secret que je voudrais tant vous dire, Muriel, c'est que, des fois, sans faire exprès, en pensant à vous, je me mets à fantasmer.

Il passa la troisième comme si c'était une question de survie.

– Vous seriez étonnée de voir tout ce que vous faites avec moi dans ma tête !

Tête que je tourne héroïquement vers elle en essayant de lui décocher le plus confiant, sincère et discret sourire dont j'aie jamais été capable.

– Et quand je commence, je ne peux plus m'arrêter, j'adore ça !

Il ne pouvait pas me regarder longtemps parce qu'il conduisait, mais je savais qu'il m'avait vue encaisser. Je savais ce qui s'était brusquement emparé de mon visage comme d'une affiche lumineuse - ça fait partie de ma fameuse maladie. C'était à la fois : sacrée surprise, plaisir d'amour-propre, désir tout nu. Le désir surtout, chez moi, venait d'être réveillé en sursaut et, dans une première fraction de seconde, je n'avais pas eu le temps de le cacher. Loïc avait tout vu, et le choc de son sourire fragile avait achevé de me mettre à nu pour les fractions de seconde suivantes.

Maintenant, si je fantasmais de nouveau tout seul sur elle, ce qui passerait le plus souvent en gros plan dans mon imagination, ce serait son visage défait, enflammé - pommettes et sourcils crispés, paupières à demi baissées, nez froncé, bouche entrouverte, lèvre supérieure déformée - merveilleusement laide, belle et indécente. Bien sûr, à l'instant, à côté de moi dans la voiture, elle n'a pas eu littéralement ce visage-là. Mais j'en ai perçu l'ébauche, la possibilité pour de bon, et cela s'est accentué dans mon esprit, dans mon émotion, au maximum.

S'il avait voulu, il aurait pu arrêter rapidement la voiture et m'embrasser.

Il nous a bien fallu deux à trois minutes de silence pour récupérer. Ce que Loïc avait dit créait comme une espèce de vide attirant et dangereux.

Je tenterais bien le coup, mais ça s'enchaînerait ensuite à la façon d'une petite aventure bateau. J'ai besoin de surmesure, comme tous les timides.

On approchait de mon quartier. J'ai remis ma main sur son bras. Je respirais doucement, prudemment. Je devais sourire, moi aussi.

- À droite après l'église, et ensuite, à gauche.

Ma main sur son bras, c'était comme pour le guider, mais c'était surtout pour lui dire que je ne lui en voulais pas – pour lui donner l'entière permission de m'avouer ses fantasmes à mon sujet.

- En face au rond-point, encore à gauche, voilà, c'est là.

Toujours souriante.

Un de ces petits immeubles qui remplacent les vieilles maisons dans les anciens quartiers ouvriers. Pas de parking, évidemment. J'arrête la voiture en double file, une certaine distance après la porte d'entrée. Nous nous tournons l'un vers l'autre. Il faut cesser de se vouvoyer, sous peine de reculade. J'y vais :

- Tu... je...

Il approcha le visage, mais c'était simplement pour mieux m'écouter. On avait encore à parler, pour commencer. D'ailleurs, c'était mon tour de me compromettre :

- Tu m'as fait jurer de ne rien dire à personne, alors tu dois tout me raconter, maintenant !

J'en avais la tête qui tournait. Je ne savais plus ce qui me prenait. Ses fantasmes à présent, je les lui aurais demandés à genoux. Lui :

- C'est vrai ? (Implorant, mine de rien.) Tu voudrais que je te raconte mes fantasmes avec toi en détail ?

Mon « en détail » lui brouille le regard. Elle a les yeux embués. Je me mets vite la main sur le cœur pour lui montrer que moi aussi je suis ému et que je ne veux surtout pas le cacher.

Il a continué plus difficilement :

- Mais... je peux te raconter vraiment tout ?... (Respiration.) T'avouer tout ce que je veux ?... (Petite pomme qui monte et qui descend sur son cou.) Je peux avoir complètement confiance ?... (Bouche qui reste ouverte.)

Et brusquement elle monte la main sur mon épaule, me la passe derrière la nuque en me remontant les cheveux, et elle m'embrasse, bouche ouverte, langue en avant, et elle me fouille en gémissant – comme si on faisait l'amour. Je suis suffoqué. Je ne m'étais pas trompé sur elle.

Pendant ce temps, il me touchait à peine l'épaule du bout des doigts. Il se faisait l'homme le plus immobile du monde – le plus attentif, intérieurement, à ce que j'étais en train de lui faire. Et quand j'ai cessé, à bout de souffle, il n'arrivait plus à rouvrir les yeux, à refermer la bouche. On aurait dit que le fait même d'avoir la bouche ouverte lui coupait la respiration. C'était un bébé, lèvres retroussées, pommettes douces et fraîches.

Muriel me parle à l'oreille, sauf que les virgules sont des petits coups de langue :

- Je voudrais que tu me racontes tout en détail... s'il te plaît... je veux tout savoir... je t'en

19

prie... je ne dirai rien à personne... parole de femme... parole de femme excitée... parole de femme qui fait tout ce que tu veux dans ta tête... parole de femme qui fera tout ce que tu voudras...

Quatre ou cinq mots tout simples, et ça fait un bout de phrase qu'on n'avait encore jamais prononcé de sa vie.

Je ne sais pas pourquoi j'adorais le bruit de ce moteur qui tournait toujours.

Je ne m'étais jamais sentie aussi libre, comme si Loïc, en m'avouant si simplement qu'il fantasmait sur moi, m'avait montré patte blanche – m'avait permis de faire entrer un homme, à ma guise, dans mon érotisme secret de jeune femme sage, sans me soucier de ce qu'il penserait d'elle.

Brusquement, elle s'écarte de moi, ouvre la portière de son côté :

– Si je te laisse garer la voiture, tu me rejoindras chez moi ?... C'est au troisième étage, la porte sera entrouverte...

Ladite jeune femme aimait excessivement la discrétion, je l'avoue, et son érotisme avait été un peu trop mystérieux jusque-là, j'en ai peur. Mais je ne pouvais plus m'empêcher d'associer le secret au désir. Je ne voulais pas que les voisins me voient rentrer chez moi avec Loïc. À nos têtes, ils auraient su immanquablement qu'on allait faire l'amour d'une façon toute nouvelle pour moi.

Elle a déjà une jambe dehors, ce qui lui

retrousse encore plus la jupe, mais elle me tient toujours par le bras, et elle ne veut pas me lâcher tant que je n'ai pas promis de la rejoindre chez elle après avoir garé la voiture. Je suis assez mal à l'aise :

- Mais... tu es seule chez toi ?

Sa cuisse gauche repose encore sur le siège, à côté de moi, mais je vois une portion suffisamment découverte de sa cuisse droite pour savoir qu'elle porte un collant – pas des bas mais un joli collant noir et fumée en dégradé. Un instant, je me demande sincèrement si je dors, si je rêve. C'est-à-dire que cette cuisse me paraît bien ferme, lourde, chaude, et en même temps soufflée, légère, tendre, et enfin gourmande, avide, impatiente – comme si le gâteau voulait vous manger. Je ne sais plus si le désir est dans mes yeux, mes mains et ma bouche, ou s'il habite la chair de la cuisse de Muriel.

- Oui, les enfants sont en vacances.

On est submergé de calendriers où sont indiqués les congés scolaires. On devrait les garder. Beaucoup de femmes libres de corps et d'esprit ont de jeunes enfants.

J'ai l'impression que jamais encore l'une d'elles ne m'avait invité si net, si fort. Je suis un peu sonné. Elle est pour ainsi dire penchée sur moi, et j'ai l'impression que sa poitrine remplit tout l'habitacle de la voiture. Comme d'habitude, elle porte un petit cardigan de laine très simple sur un chemisier clair. Et comme ce printemps est

21

doux et que je la raccompagne en voiture, elle a dû bourrer son imper dans son fourre-tout. Sa poitrine est ce qu'elle a de plus exagéré. Je crois l'avoir entendue s'en plaindre – en riant – dans ses conversations avec les autres filles plutôt envieuses. Elle est obligée de prendre des soutien-gorge de je ne sais plus quelle taille, avec des bonnets gros comme ça, et c'est tout juste si elle peut s'en passer pour dormir.

Il a dit d'une voix blanche :

– Bon, je viens. (En baissant plusieurs fois la tête pour faire : oui, oui, oui.)

– Parole d'homme ?

– Oui, oui !

– Et tu me raconteras ?

– Oui...

Raconter, ça va être quelque chose à en avoir la tête qui tourne et les oreilles qui bourdonnent, mais il me faudra du courage. Dire ses fantasmes, c'est les faire entrer dans la réalité, c'est-à-dire que ça revient à entrer soi-même chez les gens avec *obsédé sexuel* tatoué sur le front.

Je le regardais attentivement sous le trop haut lampadaire municipal. Il disait vrai ? Il n'allait pas se sauver ? Est-ce qu'on sait, avec les hommes ? Les gentils garçons sont presque aussi marteaux que les brutes épaisses. Enfin, sa respiration désordonnée me rassurait.

Dans le mouvement pour quitter la voiture, j'ai laissé ma main se faire lourde et glisser directement de son avant-bras à son bas-ventre, et se refermer vite et fort sur son sexe gonflé, comprimé dans ses vêtements. C'était à moi et j'en ferais ce que je voudrais.

Elle me tient. Elle doit se dire : « Je le tiens ! » Je voudrais lui dire : « Tiens-moi ! » Je voudrais lui avouer que ça m'a fait un vide dans la poitrine comme quand on rate une marche dans le noir.

Depuis le temps que je traîne, comme tous les jeunes hommes de mon époque, dans la nuit des villes, je n'ai jamais vu un sourire aussi étoilé que celui que m'adresse alors Muriel avant de descendre. Au moment où sa cuisse gauche quitte à son tour le fauteuil, jupe très retroussée, je perçois encore mieux l'abandon de la chair à la pesanteur, qui ressemble au poids insensé du désir sur le cœur quand l'autre personne passe aux aveux, elle aussi, d'une manière ou d'une autre.

Elle fait attention à ne pas claquer la portière trop fort.

Je la regarde s'éloigner entre les voitures garées. Je ne la déshabille pas du tout. Elle m'excite comme ça, dans ses vêtements.

Comme je ne l'entendais pas démarrer, j'ai pensé qu'il devait me regarder marcher.

Elle n'essaie pas de rouler de ses mécaniques pourtant si peu rectilignes et si mal refroidies.

Et là, sur mes dix mètres de trottoir mal éclairé, je me sentais de nouveau une fille coincée sous un regard d'homme invisible comme sous les yeux toujours les mêmes de tous les accablants fantômes des rues. Et je m'en voulais parce que, justement, Loïc n'était pas comme ça.

Elle marche un peu raide, un peu saccadé, mais rien à faire, ça roule quand même dans tous les sens – verticalement, horizontalement et en diagonale.

En actionnant ma clé pour entrer dans l'immeuble, j'ai tourné la tête dans la direction de Loïc, et je le distinguais d'autant moins que j'avais les cheveux dans les yeux.

Et j'ai beau me tordre le cou dans ma voiture à une quinzaine de mètres de là dans une mauvaise lumière, je reçois son petit sourire gêné en pleine figure comme une promesse brûlante pour les minutes qui viennent.

Vendredi, 21 heures 30

Il ne reste aucune place pour se garer, et j'aperçois une autre voiture qui va et vient lentement dans les rues adjacentes. Même les arrêts de bus et les passages cloutés sont occupés. Raisonnablement, je dois laisser un peu de temps à Muriel. D'un autre côté, je suis très pressé. Je finis par trouver un espace où, tout en étant de nouveau en double file, ma voiture ne gêne pas.

Je marche vers l'entrée de l'immeuble et ça me frappe comme un grand coup de lune : je suis ému comme si je n'avais jamais tenu la main d'une fille. Il est mince et profond, le moment où, grâce au désir partagé, deux êtres humains de hasard deviennent soudain aussi proches qu'on peut l'être, du moins physiquement. Émotionnellement aussi, je m'en rends compte. J'ai du mal à comprendre ce qui est arrivé, pourquoi elle m'a embrassé, comment elle m'a touché, par quelle magie, brusquement, une jeune femme m'attend chez elle pour faire l'amour. Je vacille comme un petit bonhomme qui sentirait tourner sa planète.

J'appuie sur le bouton carré portant le nom de famille de Muriel, et la porte s'ouvre sans un mot de l'interphone. Le hall est vitré, on y voit suffisamment pour prendre l'ascenseur sans allumer.

Troisième étage. Palier dans le noir, une fois l'ascenseur refermé. C'est la porte de gauche qui laisse filtrer un brin de faux jour. Je m'approche, je la pousse doucement et je m'avance dans la pénombre. La porte se referme toute seule parce que Muriel était derrière et l'a repoussée elle-même pour m'enfermer chez elle. Elle m'a attiré dans un piège où elle va faire ce qu'elle veut de moi. J'ai le cœur qui bat.

Elle a tout de suite un geste qui me fait l'effet d'un de ces cadeaux si beaux qu'on vivra ensuite avec un luxueux trop-plein de merci en soi : elle déboutonne ma veste et l'ouvre en grand avant de se coller à moi.

Nous avons été immédiatement bouche à bouche, ventre à ventre, chacun enlacé, accroché, serré à l'autre et par l'autre. Cette fois-ci, on ne savait pas qui avait commencé. Les deux embrassaient, les deux étaient embrassés. Moi la première.

Je ne sais pas combien de temps ça dure. Einstein devait raffoler de ce qu'on ressent en s'embrassant par rapport au temps qui passe ou même qui s'immobilise comme un vieux train de Zola dans une prairie toute neuve de Monet.

J'adore cette fille pour qui mon désir est une fête qu'elle ne veut pas manquer. C'est peut-être la première fois de ma vie - d'où mon émotion dans la rue - que je suis arrivé à le dire, mon désir, avant d'oser le premier geste. J'ai dit : « Je fantasme en pensant à toi. On fait plein de choses érotiques ensemble dans ma tête. » (C'était vrai.)

Muriel n'a plus son cardigan. Elle a gardé son chemisier à manches longues.

C'est fou d'avoir tant de poitrine féminine contre soi, comme un gros oreiller chauffant, bizarrement déformé, fourré entre deux personnes comme pour les emballer serrées, calées, asphyxiées, tombées dans les pommes. Ça me ramène à l'époque où ça ne se passait qu'en rêve - où, d'une part, il fallait exagérer toutes ses images pour compenser l'irréalité, et où, d'autre part, on n'avait souvent dans les bras qu'un véritable oreiller.

Elle a la taille plus fine que je ne m'y attendais. Mon bras tourne autour comme le sien à mon cou. Elle me paraît plus élancée, aussi. Je ne sais pas comment elle s'arrange mais je sens son ventre et le haut de ses cuisses contre moi comme si elle était plus grande que moi. J'ai l'impression qu'elle grimpe à moi en se collant comme si elle faisait un homme - comme on fait un sommet - par la face la plus escarpée. Comme si, tout de suite, elle essayait de se hausser de façon à placer nos sexes en position de s'enfiler. Comme si elle voulait monter plus haut qu'il ne suffit pour s'embrasser, assez haut pour ensuite, en se laissant redescendre contre moi, permettre à mon sexe de monter dans le sien par-dessous. Mais ce n'est qu'une impression purement subjective. C'est peut-être moi qui tente instinctivement de me baisser, ou de la soulever, ou les deux. Ça n'a pas d'importance.

On était perdus comme si on faisait déjà l'amour. Engloutis ensemble dans la chaleur et l'humidité rouges et noires, et tous les téléphones de l'immeuble auraient pu sonner en même temps pour toujours, on n'aurait jamais décroché.

Je ne sais pas comment on s'est arrêtés. On est restés comme ça encore un bon moment, aux bras l'un de l'autre, à souffler un peu, moi dans les siens, les miens noués à son cou, comme si je me retenais à lui pour me reposer, puis j'ai laissé glisser les miens, il a relâché les siens, et je lui ai pris la main. Je tenais à peine debout.

Et elle fait encore quelque chose de beau que je n'oublierai pas : debout, elle ouvre les jambes et elle se caresse vite et fort avec ma main. Mais je sens bien que c'est encore un cadeau pour moi : « Tu vois, là, ta main est chez elle, du moment que je t'ai demandé de venir. »

Au contact, je découvre qu'elle a changé de jupe. Tout à l'heure, dans la voiture, et comme toujours au bureau, elle était en jupe droite assez courte. Ici, maintenant, elle est en jupe plissée ample. Et comme l'émotion, dans certains cas, n'empêche pas de réfléchir (à condition que la réflexion augmente l'émotion), je me dis qu'elle a tout de même voulu rester en tenue de ville pour mieux entrer dans mes fantasmes. Quand je fais l'amour avec elle dans ma tête, en effet, nous commençons habillés très correctement.

Je ne suis pas vraiment amoureux de Muriel, mais avec qui me suis-je jamais senti aussi complice ? J'ai le trac.

Je me suis passé sa main à lui sur mon ventre à moi et entre mes cuisses. Il ne s'agissait pas de ses doigts mais bien de sa main attrapée au vol comme un oiseau vite niché. Et cette main m'appartenait, elle était à moi mais toute nouvelle – elle découvrait mon propre corps secret que je n'avais pas beaucoup plus ouvert à moi-même qu'aux autres, en fin de compte, malgré tout ce qui m'était arrivé de bon et de mauvais depuis mes treize ans.

Là-dessous, en bas, dans cette main d'homme, c'était chaud, douillet, solide.

Aucun doute, elle n'a rien sous sa jupe et il n'y a plus rien de mauvais en moi. C'est trop bon. Les amertumes et les frustrations de la vie n'ont aucune chance contre la douceur et la chaleur qui m'irradient la main.

Cette main de Loïc, je la guidais parfaitement, sûrement et fermement, et elle me donnait des informations directes, immédiates, précises. Il y avait la rayonne douce, lisse et fluide de ma jupe plissée bleu marine. Il y avait le bon gros matelas des poils, bien rembourré depuis mes treize ans. Et puis il y avait tout ce qui, charnu et rebondi, bouge et roule et glisse pour le plaisir superbement huilé de l'intérieur. Je fermais les yeux et je fronçais les sourcils comme pour lutter contre la jubilation. Fourrée, protégée, adoucie, avec du liant partout, cette région bien précise de mon corps était aménagée depuis longtemps pour que les caresses n'irritent pas, même interminables. Tout frottement y était à la fois amplifié et adouci, comme la musique sur une chaîne hi-fi de haut de gamme.

Avec ma main, elle se caresse non seulement le bas du ventre, mais elle l'enfonce bien par-dessous entre ses cuisses, jusqu'aux si fermes et lointains creux des fesses. Elle aime ça mais, comment dire, son émotion, son trouble, sont d'abord et encore un message pour moi, exactement contraire au précédent : « Bon, tu me désires, mais tu es chez moi pour mon plaisir, d'accord ? »

En fait, il ne pouvait pas s'empêcher de laisser traîner le bout des doigts, au retour, pour mieux se rendre compte, mais très légèrement, sans insister, juste pour suivre à l'aveuglette, avec délicatesse à travers le tissu, avec infiniment de tact (est-ce que le mot ne vient pas de là ?), le double renflement de ma vulve déjà toute gonflée, la crête des grandes lèvres déjà ouvertes, la commissure fuyante, étranglée, tirante, des petites lèvres déjà congestionnées – mon sexe déjà prêt à tout. Et puis, quand je lui renfournais la main loin dessous, quand il effleurait à peine les premiers coussinets des fesses, j'entendais sa respiration s'interrompre, rester en suspens, discrètement, et reprendre enfin, un peu plus fort qu'auparavant. Et toute cette région entre mes cuisses m'apparaissait enfin réelle et naturelle alors que, en temps ordinaire - en dehors du désir partagé -, elle me semblait soit fantomatique, soit rajoutée artificiellement.

Chaque fois que je levais furtivement les paupières, je distinguais qu'il avait les yeux fermés, la bouche entrouverte.

Sans lui lâcher la main, sans l'écarter de mon ventre, j'ai pivoté doucement sur moi-même et je me suis enroulée dans son bras. Je me suis retrouvée le dos contre lui. De ma main libre, j'ai saisi sa main libre et je l'ai portée à ma poitrine, m'attachant ainsi dans ses deux bras contre lui, une main de lui à mon ventre, l'autre à ma poitrine.

Je ne voulais pas qu'il me caresse les seins, juste qu'il y mette la main. D'ailleurs, maintenant, je lui tenais les deux mains immobilisées, l'une entre mes cuisses, l'autre sur ma poitrine. Je me suis cambrée en creusant le dos, j'ai renversé légèrement la tête en arrière sur son épaule, et voici ce que je voulais faire - et que j'ai fait : j'ai remué mes fesses contre son ventre où, bien sûr, il y avait une grande et grosse barre absolument merveilleuse et qui pourtant me semblait déjà, elle aussi, toute simple et familière, comme si un homme et une femme pouvaient redevenir aussi proches que des enfants fascinés par ce qu'il y a de plus ordinaire et normal.

Mon sexe ne m'appartient plus. Il est comme

engourdi. Pas du tout insensibilisé – il existe plus et mieux que jamais – mais il fait partie de mon corps sans histoire. D'habitude, je me concentre sur lui, mon sexe, pour, d'une part, jouir de mon plaisir, et d'autre part commencer à me retenir de jouir tout court trop vite. Mais là, c'est tout mon corps, tout moi qui, par l'intermédiaire de mon sexe, bien qu'il soit sérieusement à l'étroit dans mes vêtements, prend connaissance de ce qui est si doublement rond et joufflu, tellement tendre et indécent, si bon, si nu sous le tissu fin et soyeux de la jupe plissée.

Je crois que j'aurais bien aimé, mais que je n'ai pas osé porter les mains de Loïc, dans mon dos, à mes fesses, alors que je les avais portées, ses mains, par-devant, à mes seins et à mon sexe. Une femme a beau en recevoir toute sa vie d'innombrables preuves, elle ne cessera jamais de se demander si les hommes sont vraiment fous de son cul.

Les mots grossiers, me semble-t-il, n'ont pas grand-chose à voir avec l'érotisme. Je veux dire que, loin de m'exciter, ils me refroidissent. Ils m'évoquent un style de vie voué à l'échec et à l'amertume. À une exception près : cul. À certains moments, cul me semble un mot d'amour fondant, brûlant, délirant. Cul me fait penser à des petits matins de nuit blanche, à la folie douce insatiable, à la messe basse et noire des amants qui n'arrivent plus à dormir. Le mot me paraît presque aussi indécent que la chose, et je l'aime passionnément en secret. Pourquoi ? C'est comme ça et voilà. C'est un mot qui comble obscurément toutes mes envies, y compris celle de savoir. Je n'en ai encore jamais parlé à personne.

En me rendant compte que Muriel est en train de gémir en se frottant, de dos, les reins cambrés, contre moi, je n'en reviens pas : je pensais que c'était moi celui des deux qui trouve ça trop bon au point de laisser tomber toute fausse dignité. Je commence à peine à saisir l'importance que prend l'aveu de mes fantasmes à son sujet. On dirait que cela lui permet de jouir d'être un objet de désir. En cet instant, c'est avec ses fesses, directement, qu'elle m'allume jusqu'aux oreilles, et cette situation la bouleverse. Se reconnaître une telle puissance la bouleverse. Elle gémit fort, ne se retient pas. C'est rauque et plaintif, avec des à-coups, des étranglements. J'ai déjà entendu des femmes gémir ainsi, mais c'était tout au bord de l'orgasme, quand on faisait l'amour pour de bon, le plus souvent nus et dans un lit. Et de mon côté je suis abasourdi de voir Muriel près de sangloter de plaisir encore loin de l'orgasme, comme un homme.

Je crois que nous en avions presque oublié tous les deux sa main entre mes cuisses et sa main sur ma poitrine : elles y étaient symboliquement mais indispensables, essentielles à la jeune femme qui excitait un homme avec son cul, en le caressant au ventre avec son cul, en lui caressant directement le sexe avec son cul – et elle jouissait de son pouvoir, de sa domination, mais en même temps elle avait besoin de se sentir tenue comme une proie.

Je suis totalement incapable de prononcer un mot. Je veux entendre au maximum ses gémissements si beaux et si bons. Alors, pour faire savoir à Muriel ce que j'ai à lui dire, je me mets à l'embrasser dans le cou – rien de plus facile puisqu'elle a plus ou moins la tête renversée sur mon épaule.

Je ne m'y attendais pas. Sa bouche dans mon cou m'a mise dans un état second. Loïc m'embrassait comme toute femme rêve d'être embrassée. Parler, embrasser, les lèvres servent aux deux choses et c'est la même chose. Je crois qu'au même instant nous étions, physiquement parlant (je veux dire en parlant avec le corps, sans les mots), moi aussi réceptive que lui expressif. En tout cas, ses baisers très rapides et très doux dans mon cou me disaient très précisément, de façon humble et précipitée : « J'aime à la folie ce que tu me fais, et puis, surtout, je suis heureux de ton plaisir, de ta découverte, de ta liberté d'être provocante, indécente, et d'exciter un homme par tous les moyens que tu veux, et de jouir sans retenue de te sentir désirée. Ton cul, c'est le paradis. »

Elle balance et appuie des fesses encore beaucoup plus fort, comme si elle voulait m'enfoncer dans le mur. Elle devient folle pendant quelques secondes. Je m'avoue quelquefois que le désir éprouvé par une femme est ce que j'aime le plus au monde. Alors quand ça devient un délire de femme, je perds la boule moi aussi. Là, je me mets à gronder le mot le plus simple et facile que je connaisse :

– Oui !... Oui !... Oui !... Oui !...

Il voulait dire : « Vas-y ! Mets-moi KO avec ton cul ! Il en a le pouvoir et je ne demande que ça, rien ne peut me rendre plus heureux. »

Et brusquement j'ai arrêté. Je n'en pouvais plus d'émotion. Je me suis immobilisée, trop tendue, et puis je me suis relâchée doucement. Je lui ai lâché les mains. J'étais toute chiffonnée, de dos contre lui. Les mains grandes ouvertes, il me caressait les bras, les hanches, la taille, comme s'il voulait me réconforter, comme si c'était « après », comme si on avait fait l'amour pour de bon, comme s'il voulait m'aider à respirer, à reprendre pied.

Je suis dans le même état que si j'avais couru. Mais surtout, je me sens délicieusement cotonneux, frissonnant, au-delà de l'excitation. Je ne sens plus mon sexe et pourtant je sais qu'il est à sa taille maximale. Il ne me gêne pas, il n'est pas encombrant. Il ne me procure aucune impatience, et c'est un bien-être sans mélange.

Dans le cercle de ses bras, j'ai laissé couler les miens le long de mon corps. Puis j'ai fait passer mes mains dans mon dos pour nous séparer en pesant doucement sur son ventre, c'est-à-dire sur son sexe qui occupait toute la place, et ça m'a donné une grande envie de voir son visage. J'ai tourné la tête en arrière pour le regarder par-dessus l'épaule.

35

J'entrouvre les yeux pour la voir sourire dans l'ombre, aussi distinctement que s'il faisait grand jour.

Pour nous écarter l'un de l'autre, j'ai pesé davantage des deux bras derrière moi, sur son ventre, sur son sexe, mais, à l'instant où nous nous séparions, il a voulu saisir mes seins dans ses mains, non de façon possessive mais comme pour en prendre connaissance – avec énormément d'attention et d'intérêt.

D'accord, Muriel porte un soutien-gorge efficace mais quand même très souple, qui laisse les seins assez libres tout en les séparant radicalement. On en a bien un dans chaque main, sauf que j'ai les mains trop petites et qu'elles ne peuvent en saisir la totalité qu'en se déplaçant sans arrêt. Je me sens comme un aveugle toujours en mouvement pour recréer en esprit la réalité des choses. C'est vrai qu'elle a une très grosse poitrine. Je suis ému, excité, troublé, attendri, heureux, fier, intimidé, cochon, je ne sais plus, tout à la fois – comblé, en somme. Je n'avais jamais recherché cela chez une femme, et je comprends mieux, brusquement, toute une race d'hommes pour qui c'est le plus important.

Puis j'ai fait un pas en avant et ses mains se sont laissé déposséder. Elles ont glissé le long de mon buste. Il m'a tenu un instant par la taille – je sentais bien ses dix doigts et ça m'a redonné un petit coup de vertige. Au bout d'un moment, je l'ai repris par la main et je l'ai entraîné dans le couloir, vers le living où j'avais allumé une seule lampe – l'abat-jour de laine de la table d'angle.

Je reconnais que Muriel sait marcher ! Au bureau, elle a toujours de l'allure, elle semble encore pleine d'énergie même et surtout quand on est tous fatigués en fin de journée. Elle est haute et dynamique, elle a une démarche dansante qui semble inviter à suivre son sillage et à partager son courage de vivre.

Nous n'atteignons pas la lumière douce de la pièce où mène le couloir. Muriel ouvre une porte latérale et me pousse, en riant tout bas, dans une petite pièce déjà éclairée elle aussi. C'est la salle de bains. Elle m'y enferme, non sans m'avoir lancé d'une drôle de voix feutrée, pleine de rire et de plaisir :

– Un garçon qui aime faire l'amour, c'est comme une fille, jamais trop propre !

Elle a bien raison. Une espèce d'euphorie me prend.

Sans bâcler le moins du monde, je ne m'éternise pas. Je retrouve Muriel dans la salle de séjour au moment où elle dépose une bouteille de champagne et deux flûtes sur une table basse devant une banquette.

Ma salle de séjour est un désastre. La plante verte bien astiquée se cramponne éternellement au coin des casiers à livres de stratifié noir modulables qui ont juste la taille adaptée à mon niveau de culture.

Le champagne est même dans un discret seau à

glace en osier, et il y a des petits biscuits dans une coupe. Je pense que le mieux est de m'asseoir sur la banquette, là où, pour ainsi dire, elle fait coin avec un fauteuil bas où j'aimerais bien que Muriel vienne s'asseoir. Je voudrais qu'on se voie et qu'on se parle, sans être côte à côte à se dévisser la tête comme dans la voiture.

Elle est debout, penchée sur un tiroir pour y choisir une cassette qu'elle glisse ensuite où il faut, et c'est du piano tranquille. J'apprécie beaucoup sa jupe longue, souple, tombant sur les reins comme de l'eau. C'est un tissu plissé mais, sur les fesses, quand Muriel se penche très en avant pour refermer le tiroir bas qu'elle avait laissé ouvert, celles-ci, en s'épanouissant, le déplissent sous mes yeux et, comme elle n'a pas de culotte, il les lui gaine avec encore trop de pudeur – il y a ce voile – et déjà infiniment d'indécence – il y a cette merveilleuse moulure bleu marine et soyeuse aux lignes si puissantes et si douces qui se sont creusées en se déployant. Mon regard descend et je découvre qu'elle a non seulement changé de jupe mais de chaussures. Elle porte maintenant des escarpins à très hauts talons joliment dessinés, d'un beau brun-rouge, avec une patte de fermeture qui encercle la cheville comme un bracelet.

Je suis venue le rejoindre tout en remettant mes cheveux en place, les coudes en l'air, et j'aurais voulu que mon regard, mon sourire, tout mon visage lui dise : « Hein, tu vois un peu cette poitrine ? » Je pense que j'y parvenais, mais devinait-il que c'était un acte de courage de ma part ? J'ai toujours eu honte de mes seins trop lourds. On n'a cessé de me dire que les hommes adoraient ça, et j'ai toujours eu du mal à le croire. Mais avec Loïc ce soir-là, j'avais décidé – à la salle de bains pendant qu'il rangeait sa voiture – de ne plus être la jeune fille qui se pâmait de haute couture, et de devenir la femme complice des fantasmes de l'homme pour qui les seins ne sont jamais trop gros dans la jeunesse, comme j'avais bien été forcée de l'apprendre, par les regards, par les images, une année après l'autre. Cela dit, je ne me faisais pas trop d'illusions sur mon courage tant que j'avais mon chemisier et mon soutien-gorge.

Elle s'assied à côté de moi sur le fauteuil, genoux bien joints. Je remarque seulement maintenant qu'elle a beaucoup atténué son maquillage pendant que je garais la voiture. Tout juste si elle a gardé une touche de noir aux paupières et de blush aux pommettes. C'est drôle, j'espérais une grande bombance érotique avec Muriel, et je n'arrête pas d'être touché par ses gestes, ses messages, ses promesses. Elle tient à me faire comprendre que je ne me suis pas trompé, qu'elle va me la trousser, en effet, ma fête, et même au-delà de toute prévision et de tout calcul.

Je ne sais plus depuis combien de temps mon sexe est en érection. Je sais qu'il est raide et massif le long de ma braguette. Assis comme je suis sur cette banquette basse, il soulève la boucle de ma ceinture. C'est parfait, je me sens à la hauteur, mais autant ne pas y penser. Je tends le bras pour attraper la bouteille de champagne. Muriel s'interpose :

— Pas question ! Tu es mon invité, je m'occupe de tout !

Je suis encore ému.

Elle vous ouvre ça comme une limonade, pof ! et les flûtes pétillent, dorées, embuées. Nous trinquons et sifflons. Je crois que mon émotion la gagne et que nous avons tous les deux les yeux qui brillent comme un soir de Noël, quand tout le monde s'aime. Elle me tend l'assiette à biscuits apéritifs.

— Tiens, tu en veux ?

Je recouvre de justesse l'usage de la parole :

— Oui, oui !

Nous nous sommes mis à boire et à manger comme si c'était des frites et du vin rouge. Dès l'instant que nous avions été tous les deux seuls dans la voiture, j'avais complètement oublié qu'on n'avait pas dîné, avec cette réunion du patron.

— Attends, je vais en chercher d'autres.

Pendant ce temps, je remplis de nouveau les verres, et je pense enfin à ôter ma veste. Elle revient avec toute la boîte, compartimentée selon les épices : cumin, curry, piment, etc. Nous mangeons et buvons sérieusement, sans en laisser une goutte ou une miette. Puis, Muriel, d'une voix bienveillante et embarrassée, en repliant une jambe sous l'autre :

— Alors dis-moi, Loïc, comment ça se passe dans tes fantasmes quand je t'emmène chez moi ?

– Eh bien écoute, Muriel, ça se passe un peu comme en ce moment. Je veux dire, tu n'emmènes chez toi et...

– Et tu me racontes tes fantasmes ?

– Non, je ne savais même pas que je t'en parlerais, ça m'est venu brusquement dans la voiture, je ne sais pas ce qui m'a pris, je...

– C'était vrai ?

– Je crois que tu l'as compris...

Il n'y avait rien de plus simple et naturel, et pourtant, un homme ne m'avait encore jamais dit : « Quand je pense à toi, je rêve de faire l'amour avec toi et je commence à imaginer tout ce qu'on ferait. »

– Oui, je t'ai cru, alors, maintenant, il faut que tu me racontes. Qu'est-ce qu'on fait ensemble dans ta tête quand tu penses à moi comme ça ?

Le simple fait de poser la question, ça me secouait et, lui, ça le soufflait. J'ai été obligée de reprendre ma respiration. Je savais que mon visage avait encore été très indécent pendant deux ou trois secondes.

Celles pour qui un homme aurait de la tendresse, s'il savait, ce sont les femmes auxquelles il a pu arriver de se caresser toutes seules en pensant à lui. En principe, Muriel et moi sommes dans la situation inverse, et pourtant c'est ce que j'éprouve pour elle. Je veux dire : son trouble me trouble au point que, sur un autre plan, je fonds.

Il a tendu la main, j'y ai mis la mienne. J'osais à peine croiser son regard. Il m'a attirée à lui. Je me

41

suis levée à demi et je suis venue me couler à côté de lui sur la banquette. J'ai commencé par lui ôter sa cravate en faisant bien attention à ne pas l'étrangler.

Elle se love de côté contre moi et commence aussitôt à me caresser le ventre. Forcément, sa main passe sur mon sexe, et je suis déjà dans un tel état que je commence aussitôt à respirer fort, sourdement pour ne pas tout de suite gémir comme une fille. Et puis, je devine ce qui va se passer. Elle va me caresser pour que je puisse retrouver la précision et l'intensité de mes fantasmes comme si je me caressais moi-même. Elle veut réellement tout savoir. Je me demande si j'arriverais à tout lui dire de moi-même, mais je suis du genre de héros qui desserre les dents au premier geste.

Ses doigts commencent à jouer avec la boucle de ma ceinture. Sa bouche monte dans mon cou jusqu'à mon oreille, où ses lèvres, son souffle et sa voix entrent en moi comme à cœur ouvert :

– C'est toi qui vas me parler à l'oreille.

Vendredi, 22 heures 20

J'ai donc relevé la tête de façon à porter ma propre oreille – la droite – près de sa bouche à lui. J'avais glissé le bras droit sous son col et je le tenais à l'épaule comme un blessé.

J'ai ses cheveux dans la figure et leur odeur s'empare de mon système nerveux. Tout le bas de mon corps est à la merci de son regard et de son bras libre. Et si je me mets à parler, je vais me sentir plus vulnérable et indécent que je ne l'ai jamais été.

De la main gauche, je lui ai débouclé sa ceinture, défait le premier bouton.

À force de me laisser glisser millimètre par millimètre, je ne suis plus assis comme en visite, mais avachi comme si je venais de rentrer chez moi, mort de fatigue. Je suis éreinté de désir.

Il ouvrait insensiblement les jambes et levait le ventre. Il ne pouvait pas s'en empêcher. Je n'avais plus de permission à recevoir. Je pouvais faire tout ce que je voulais, sauf que ça me donnait le vertige.

Avant même le deuxième bouton, le bout de ses doigts entre en contact avec mon sexe à nu, et cette sensation, à laquelle je m'attendais pour ma part au dixième de seconde, et qui me fait descendre encore d'un cran intérieurement – cette sensation paraît provoquer chez Muriel quelque chose d'imprévu. Elle a redressé la tête et je sens son bras qui tire sous mon cou pour s'évader. Elle m'a lâché l'épaule. On dirait qu'elle n'a plus un instant pour penser au récit de mes fantasmes.

J'avais trop envie d'autre chose tout de suite, tout d'un coup. Je voulais voir, je voulais être près. J'avais besoin des yeux, des mains et de la bouche. Tout le haut de mon corps était invinciblement attiré vers le bas du sien comme sous l'effet d'une pesanteur immense, alors que nous étions déjà presque à l'horizontale sur ma vieille banquette moelleuse.

Elle fait glisser sa poitrine sur mon thorax et je me sens comme envahi par ses seins – enserré, enveloppé, capturé en douceur très vite. Elle achève précipitamment de retirer le bras de sous mon cou.

Je sens toutes mes boutonnières lâcher leur bouton comme si le système ne valait absolument rien : il suffit d'écarter sans effort pour que ça s'ouvre. Ensuite, l'élastique de mon slip oppose encore moins de résistance. Exactement dans le même instant, Muriel tient mon sexe entier entre ses mains et l'engouffre – je le sens

44

glisser tout de suite immensément loin dans sa bouche qui me paraît brûlante et incroyablement musclée.

C'était gravement urgent. J'avais mal partout comme une affamée qui se jette sur quelque chose qui se mange. En fait, je ne pensais qu'à ça depuis l'instant où j'avais poussé Loïc dans la salle de bains. (Je n'avais pas voulu me l'avouer tout de suite parce que je n'arrivais pas à renoncer pour autant à cette histoire des fantasmes d'un gentil garçon à mon sujet.) En somme, je m'étais mise moi-même à fantasmer dans ma cuisine en préparant le champagne. Je me voyais jouer librement avec un joli sexe d'homme bien chaud, bien tendu, sans me soucier de son propriétaire. Non, c'est encore plus tôt que ça m'avait prise : quand j'y avais porté la main juste avant de quitter la voiture. Je brûlais de le tenir à nu. Le voir de près, l'embrasser, le caresser des lèvres et de ma grande langue de petite fille gourmande, et m'en caresser moi-même le visage, les yeux, les tempes, lentement, vite, longuement, beaucoup, n'importe comment... Et surtout en train de le... non, je sais qu'on dit « sucer », mais ça ne convient pas pour ce que je désirais au point d'en avoir le cœur serré en y pensant toute seule. Je me sentais trop avide, trop... oui, goulue, gloutonne. Je ne me voyais pas sucer quoi que ce soit. C'était un verbe de jeune fille attardée dans les sucres d'orge, pas de femme adulte qui perd la tête devant le beau grand sexe d'un homme qu'elle a volontairement excité.

45

Quand je m'étais assise dans le fauteuil au coin de la banquette, j'avais eu un mal fou à regarder Loïc ailleurs qu'à la braguette, mais j'étais ravie de me sentir comme ça, du moins secrètement – une sacrée luronne qui attaque les hommes directement à la culotte et qui s'en lèche les babines. J'aurais voulu avoir magiquement assez de liberté pour le lui mettre à l'air en un tourne-main, séance tenante, en éclatant de rire de plaisir, et l'enfourner dans ma bouche, et m'en repaître en ne pensant qu'à moi, l'enserrer dans mes lèvres et l'aspirer de toutes mes forces entre mes joues, ma langue, mon palais, et le malaxer jusqu'à m'en faire mal de fatigue – j'avais l'impression que je ne pourrais jamais m'en rassasier. Je le voulais tout à moi là où on l'a le plus à soi : dans la bouche. Dans le ventre, c'est un autre voyage, on n'a plus le temps de jouir de quelque chose en particulier – il faut jouir en vrac, à fond, tout entière comme si on était emportée, envolée, perdue.

Je crois que je ne m'étais jamais permise de voir les choses comme ça en toute lumière. Je suis une femme. À un certain niveau de conscience, l'organe sexuel masculin est naturellement l'objet direct de mon désir. Le prendre dans mes mains et ma bouche, cela m'était déjà arrivé, bien sûr, mais jamais bien franchement. Toujours à tâtons et, pour ainsi dire, dans le noir même quand on n'éteignait pas. Toujours à la manque. Un fruit défendu, en fait. Un objet volé dont on ne profite pas. Je le savais bien. C'était toujours brusqué, bâclé. Cela restait irréel comme un rêve bien lourd qui vous tire par les bras et les jambes, et qui est tout de suite stoppé en sursaut. Et puis, plus simplement, il m'était arrivé de regretter, non de l'avoir mal fait, mais de l'avoir fait. Un homme ou un autre m'avait même appuyé sur la tête pour m'obliger à le faire, s'excluant ainsi, instantanément et pour toujours, de mes désirs et de mes illusions.

Je rouvre les yeux. Elle me tourne complètement le dos, pelotonnée presque perpendiculairement à moi. Je sens exactement le poids, le volume et la température de ses seins sur mon bas-ventre et le haut de mes cuisses. Elle me maintient le corps entre ses coudes tout en tenant toujours mon sexe à deux mains, même quand il lui entre jusqu'à la moitié dans la bouche. Je vois ses cheveux emmêlés, ses épaules déjetées, son dos courbé de côté, qui devient très étroit à la ceinture, là où le chemisier rentre dans la jupe. Ensuite, il y a la hanche qui remonte comme une montagne abrupte, puis redescend plus doucement, plus arrondie mais tout aussi massive : c'est le beau cul épanoui de Muriel. J'en suis malade. Ça me fait comme pour elle mon sexe : je voudrais y plonger, me consacrer à lui. Au moins, j'adorerais y lancer immédiatement la main, y faire glisser le tissu bleu sous mes doigts qui oseraient à peine aller partout parce que c'est presque trop bon – trop ce que j'ai toujours voulu en pensant à elle. Mais j'ai peur de la distraire. Je voudrais me faire oublier. Tout de même, pour lui dire que je pense à elle et que je la protège pendant qu'elle s'en met plein la vue, plein la lampe, je lui caresse à peine les cheveux, et je lui pose très légèrement mon autre main à la taille.

En fait, je voudrais être près d'elle – voir son visage et l'embrasser partout, des tempes jusqu'au coin des lèvres, pendant qu'elle fait ça. J'ai l'impression que je saurais si facilement lui faire comprendre que je suis avec elle et qu'elle peut y aller...

Je n'ai même pas besoin de lui montrer que j'aime ce qu'elle me fait. Elle ne cherche pas à me donner du plaisir. C'est elle qui se fait elle-même quelque chose avec mon sexe. Elle se l'est approprié et je suis consentant à l'infini.

Elle m'a bien informé qu'elle aimait mon désir, qu'elle se réjouissait de l'entendre et peut-être de l'exaucer (je n'ose pas trop y penser). Du coup, paradoxalement, c'est elle qui a reçu la liberté de se conduire comme une obsédée, une affamée d'érotisme pur et dur. Mal saisir le processus ne m'empêche pas de le trouver à la fois normal, naturel, merveilleux et inespéré. À quel point j'ai bien fait de venir, je n'en reviens pas !

En attendant, moins je demande de plaisir dans mon sexe, plus je voudrais qu'elle en ait dans la bouche, et plus je me sens partir d'une drôle de façon. Moins je bouge, plus je me fais léger, et plus il m'est difficile de respirer sans bruit. Ça ressemble à se trouver mal, quand le corps échappe, quand l'esprit a pour seul et dernier pouvoir celui d'attendre que ça passe. Là, c'est d'un trop-plein de bien-être que mon corps flanche et j'espère que ça ne va jamais finir, mais je n'en suis pas moins démuni, sans force et sans défense.

Sans voir ce qui se passe, j'ai une conscience hallucinante, dans les moindres détails, de tout ce que me fait Muriel avec la bouche et les doigts. Je ferme les yeux, je serre les paupières, et je vois tout comme sur un immense écran très pâle mais très net. C'est doux et transparent. Par exemple, je vois la langue dure et pointue de Muriel remonter toute ma verge comme si elle la dessinait. Le profil de son visage est d'une beauté confondante qui vient de l'intérieur d'elle-même, mais aussi qu'elle trace en moi du bout de la langue, et j'espère que ça ne s'effacera pas, que ça m'appartient. Et puis sa bouche se fait souple, chaude, lourde et trempée, son visage devient animal, et j'espère que cela aussi, cette sensualité indécente, je la garderai. De toute façon, c'est inoubliable.

J'y mettais le visage en entier. Cet objet dont on n'a jamais le droit de parler, je me le roulais sur les pommettes, sur le front, sur le nez, je m'en frottais les yeux et, surtout, quand il était tout mouillé de ma salive et des gouttes lentes, claires et douces qui perlaient sous la pression de mes doigts, de m'en caresser fortement le lobe de l'oreille, ce qui me faisait frissonner en rentrant la tête dans les épaules. Mais ça, ça ne durait pas longtemps : je me le renfournais dans la bouche - j'étais folle de ne pas l'y avoir gardé. Et je l'y gardais, je m'en imprégnais au plus conscient de moi-même par l'intermédiaire des papilles enflammées de la langue, du palais et de l'intérieur des joues. Et quand je l'y avais gardé le plus loin et le plus longtemps possible, je commençais, le plus lentement possible, à l'en retirer. Plus précisément, c'était moi qui, en relevant insensiblement la tête, m'en allais lentement de lui, le libérait peu à peu, dans une de ces lenteurs de monde irréel où rien ne finit jamais, et cela sans cesser de l'aspirer comme si j'essayais de le retenir en dépit de tout, comme si on voulait me l'arracher malgré moi. Et c'était moi qui gagnais : au dernier moment, quand il ne me restait plus dans la bouche que le sommet tout lisse, et que celui-ci était sur le point ultime de m'échapper, j'aspirais et malaxais de plus en plus fort en avançant les lèvres et en creusant les joues. Je ne voulais pas lâcher.

C'est tellement, tellement bon que j'ai affreusement peur que ça sorte. Je ne sais pas comment elle fait, juste à la force des lèvres, alors que tout ça est glissant et mouillé au possible - j'ai l'impression de baigner dans la salive bouillante. Il s'en faut de peu que je lui échappe sans le vouloir - vraiment sans le vouloir ! J'ai peur mais, d'un autre côté, cela intensifie la certitude que mon sexe est bien dans le délice d'une bouche de femme qui en devient folle. Puis tout bascule et je me sens de nouveau englouti au plus loin. C'est comme si elle me disait en face : « Tu vois, je n'en ai jamais assez, je ne peux plus m'arrêter, je veux encore la bouche pleine. »

Brusquement, la musique s'est arrêtée. Ma cassette - quatre-vingt-dix minutes en auto-reverse - était entièrement déroulée. En réalité, je me suis rendu compte, parce qu'elle s'arrêtait, qu'il y avait eu de la musique jusque-là. Ce silence créait un grand vide, comme si tout d'un coup on n'était plus protégés, plus cachés. Encore tout habillée, je me suis sentie comme nue devant tout le monde. Un instant, j'en ai même eu peur que le charme soit rompu. Mais le charme était solide. Nous avons simplement respiré - j'en avais besoin. J'ai bien sorti son sexe de ma bouche mais je l'ai gardé entre les mains, et je me suis retrouvée en train de le caresser instinctivement du bout des doigts et des lèvres, comme pour l'apaiser, lui, et le rassurer, lui : « Ne t'inquiète pas, je n'en ai pas fini avec toi, ce soir tu es à moi et je ne te laisserai pas partir comme ça. » C'était pour me rassurer moi-même, et ça marchait, je me suis détendue. Je me sentais légère comme si je m'étais libérée de quelque chose de très ancien et de très lourd, cette libération ayant l'effet d'une grande secousse qui me laissait épuisée. Peut-être même venais-je de franchir un de ces moments éprouvants qui séparent deux époques de la vie. J'avais osé faire passer mon désir brut avant le sacro-saint respect de la relation homme-femme. J'avais traité un homme en objet sexuel, et je ne pourrais plus jamais oublier le bien que ça faisait, le bonheur que ça donnait. À lui aussi, n'est-ce pas ? Je ne m'étais même pas encore posé la question, mais ça ne faisait pas de doute !

Je me suis brusquement souvenue d'un adolescent timide et sensible qui s'était jeté sur moi, autrefois, et qui, pendant une éternité, m'avait dévoré mon doux sexe de fille en semblant oublier totalement ma tendre existence d'être humain. Quand il avait enfin arrêté, le regard chaviré, la bouche toute brouillée, il avait quand même semblé me reconnaître : « Ah, oui, Muriel... » De mon côté, je redescendais juste du ciel. J'aurais voulu passer ma vie sur terre à me laisser dévorer comme ça. Le désir fou de ce garçon m'avait apporté un renouveau intérieur incomparable, jamais retrouvé ensuite, et que j'avais oublié peu à peu en désespoir de cause. Et maintenant, je revivais cela à l'envers : comme lui sur une petite femme, je m'étais jeté sur un petit homme dans un élan si farouche que ce devait bien être aussi irrésistible et vivifiant qu'une vague de la mer.

En plus, je venais peut-être de découvrir un secret, un trésor : il n'y a pas beaucoup de différence entre les garçons et les filles quand on joue franc-jeu avec soi-même.

Muriel se lève d'un bond, superbe, en faisant voler sa jupe autour d'elle. Est-ce que je délire, ou ai-je entrevu la chair nue en haut des jambes ? Je ne sais plus très bien où j'en suis.

Sans un regard pour moi, elle va relancer la cassette.

Tout à l'heure, dans l'entrée de l'appartement, quand elle se caressait avec ma main, je me suis bien rendu compte qu'elle n'avait pas de culotte et pas de collant. Donc, si une couture lui grimpe derrière la jambe, c'est qu'elle a des bas et un porte-jarretelles. J'aurais pu faire ce raisonnement plus tôt. Il faut absolument que je trouve le moyen de lui dire merci à tout casser. Je découvre que la gratitude et le désir font un cocktail à vous nettoyer les idées une bonne fois. Imaginer le paysage nu qu'il y a sous sa jupe, découpé crûment sur les hanches, en haut, par la ceinture du porte-jarretelles, et sur les cuisses, en bas, par la lisière des bas, évidemment ça me trouble et ça m'excite, mais le plus émouvant est qu'elle ait voulu s'habiller comme ça pendant que je garais la voiture. C'est ce qu'elle a dans la tête et dans le cœur qui vous rend malade de ce qu'elle a sous la jupe. Il est assez facile de faire porter un porte-jarretelles à une amante : on le lui demande et voilà tout. Mais une fille qui en met un d'elle-même dès la première fois pour que la fête soit très belle, c'est une autre paire de jambes.

Elle se retourne. La musique reprend. Je me

demande d'où elle sort ce piano tranquille et intelligent – le genre de musique idéale dont on ne retrouve jamais la référence à moins de la noter à l'instant, réflexe précisément exclu dans les circonstances exceptionnelles où on l'entend.

Il était toujours affalé sur la banquette, le sexe à l'air dans un état impressionnant. Mais il aurait peut-être été vexé de savoir que c'était son visage qui m'intéressait – voir la tête qu'il faisait dans ce genre de situation. Des organes masculins convenables, ça court les rues – une fille n'a qu'à changer de trottoir en claquant des doigts. Mais un homme qui allait bien avec le piano de Teddy Wilson, un homme qui savait vous regarder gentiment et paisiblement avec le sexe à l'air, c'est-à-dire un homme qui gardait intactes ses facultés intellectuelles et ses valeurs morales dans les situations scabreuses, premièrement ça ne traînait pas n'importe où et, deuxièmement, ça n'avait peur de rien dans le domaine de l'intimité – ça permettait de faire des choses érotiques aussi folles qu'on voulait sans payer, sans regrets, sans honte.

Elle me regarde et, finalement, moi aussi je suis très intéressé par l'expression de son visage. En fait, j'essaie d'y lire ce qu'elle voit en moi. Est-ce qu'elle voit tout ? Je voudrais qu'elle soit une fée et qu'elle me donne l'air charmant pour toujours.

Ou bien je ne comprenais rien aux hommes, ou bien celui-ci était réellement honnête et humble.

Un regard, une expression qui déposaient les armes, qui faisaient du sexe en érection un objet de fête et non un instrument de domination ou de jouissance individuelle. J'ai pensé, peut-être un peu vite : « Je ne pourrai plus jamais faire l'amour avec un imbécile ! »

Est-ce qu'elle a peur de baisser les yeux, à présent, ou bien, au contraire, a-t-elle décidé de faire l'amour à découvert, c'est-à-dire en pleine connivence, à la loyale, toute nue aussi moralement, sans détourner le regard dans les moments critiques ? J'en ai toujours tant rêvé que, la gorge nouée, je trouve la force de lui sourire.

Et brusquement, ça la reprend. Elle fait trois pas rapides vers moi. On dit « voler vers quelqu'un » quand on l'aime, mais le simple désir aussi file sans toucher terre. Pas très haut, mais je vois bien Muriel voler vers moi dans la pièce, et c'est moi qui en perds la respiration. À une vitesse fulgurante, elle se pose en douceur à genoux sur la moquette entre mes jambes, exactement face à moi. De nouveau, elle saisit mon sexe à deux mains, et elle se jette en avant pour l'enfourner dans sa bouche. Elle enchaîne aussitôt par un mouvement de recul de tout le corps, qui lui permet de recommencer : elle se rejette en avant pour que mon sexe, qui était presque entièrement sorti, rentre d'un seul coup autant qu'il peut. Et ainsi de suite, en avant, en arrière, en avant, en arrière. Au moins une quinzaine de fois très vite et très fort. Je suis déjà aux cent coups. J'agrippe le bord de la banquette à deux mains, non pour me retenir de tomber mais pour me retenir tout court, moi, mon vrai moi égoïste à qui Muriel fait ça.

Je m'en veux de ne pas être fou de joie à bloc. Une petite part de moi souffre d'une immense frustration. C'est les yeux. Ils ont tellement faim d'une Muriel nue en cet instant – enfin, juste en bas et porte-jarretelles !... Et j'aurais un double qui pourrait se lever, tourner autour d'elle qui serait nue et la voir sous tous les angles pendant qu'elle fait ça. Et ses seins, là-dessous ? Je voudrais aller au bal.

Elle arrête et redresse la tête, complètement essoufflée, mon sexe toujours tenu dans le rond de ses doigts. Elle le regarde, puis elle lève les yeux et elle me sourit, toute endolorie. Je voudrais être à la hauteur, lui rendre son regard et son sourire avec autant de crânerie et de générosité.

Ça la reprend brusquement. Son sourire se fige, tous ses muscles du cou semblent lâcher, sa tête bascule en avant, sa bouche grande ouverte coiffe et réengloutit mon sexe tenu bien verticalement. Et cette fois ce n'est plus son corps qui va d'arrière en avant, mais seulement sa tête qui bascule – qu'elle relève et laisse retomber de tout son poids. Encore une quinzaine de fois comme ça, moi chamboulé, commotionné.

Elle arrête, exténuée. Elle me sourit, et cette fois j'étais prêt : je lui souris aussi. Elle garde la

56

bouche ouverte. Elle parle, avec de grands à-coups pour respirer :

– J'en avais envie !... Je n'ai pensé qu'à ça depuis la voiture !... Je voulais te le dire !... J'en avais envie !... J'en avais envie !...

Vendredi, minuit

Je ne pouvais plus m'arrêter de le dire :
– J'en avais envie !... (Une sorte de gros sanglot m'a secouée.) J'en avais envie !...

Je ne pouvais pas plus m'arrêter de le dire que de le faire, sauf, évidemment, si je le refaisais, puisque c'était avec la bouche. J'ai repris le merveilleux...

« Sexe » est encore le mot le plus simple et agréable. Les mots grossiers – bite et machins-choses – ne font plus peur. Ils donnent une impression de libération. Mais ils sonnent faux, malhonnêtes en ce qu'ils prétendent faire payer l'érotisme par la vulgarité.

Je l'ai vite repris gratuitement, avec joie, avec délice, avec précaution. Merveilleux parce qu'il était à moi. Ma bouche le connaissait, le retrouvait, il y était chez lui. Le tissu de sa peau et celui du revêtement de ma bouche étaient de la même eau pure et du même alcool fort. J'avais envie de pleurer. La différence qu'il y avait entre un garçon et une fille, elle était à eux deux, elle leur appartenait ensemble. En même temps, je m'étais rarement sentie si féminine, si tendre et élégante.

J'adorais avoir la bouche pleine de sexe, au point que ça me faisait un peu peur. Un gémissement sourd se développait en moi et, même la bouche pleine, même en plein piano racontant une belle histoire, ça résonnait, on n'entendait que ça. À la fois sourd et aigu, qui ne pouvait plus s'arrêter. On entendait bien que c'était du plaisir mais ça ressemblait à des pleurs, comme si je m'attendrissais en même temps sur la petite Muriel qui n'avait jamais fait ça pour de bon, et sur la vieille Muriel qui découvrait ce que c'est que d'accepter son âge, son sexe, son nom, le désir, l'inconscient, la condition humaine et le plaisir étourdissant de... bon, oui, d'accord, sucer, sucer, sucer comme une petite fille qui pleure pour un oui, pour un non. Oui, j'en veux, non, je ne m'arrêterai pas.

Elle le tient à deux mains – on ne le voit plus – mais, à présent, elle n'en fait pénétrer que le sommet dans sa bouche. Elle reste comme ça presque sans bouger. Elle paraît le déguster, le savourer si intensément que, malgré son désir évident de ne pas me quitter des yeux, elle ferme les siens, sourcils et nez froncés, tête rentrée dans les épaules. Elle les entrouvre de temps en temps et me regarde, en sortant alors mon sexe de sa bouche, puis elle les referme avec une lenteur de chat. Elle est émue, au bord des larmes. Quelque chose de presque tragique apparaît sur son visage, et rien ne peut m'empêcher d'y voir simplement une imploration désespérée, pourtant si facile à exaucer : elle me supplie de continuer à la laisser faire et à la regarder faire. Elle s'arrête un instant pour murmurer encore, d'une voix brisée :

- J'en ai envie, tu sais ! J'en ai tellement envie !...

Moi aussi, je voudrais parler mais, au lieu de cela, je cherche de l'air dans mes poumons, je cherche des mots dans ma tête et je n'ose pas en trouver. Je remets à plus tard, dans un instant, là, tout de suite. Je voudrais lui dire que je suis avec elle. Elle voit bien que je suis chamboulé mais j'ai honte de garder le silence. Il faudrait que j'arrive à prononcer, à articuler, à enchaîner les syllabes mais elles me restent au fond de la gorge. « J'aime ton désir, Muriel, j'aime ton plaisir, j'aime ton avidité, j'aime tes manières, j'aime ton trouble à être vue dans l'état où tu es, je suis avec toi, si j'étais une fille, je... »

Muriel est encore tout habillée, mais *elle,* son vrai moi indécent, elle me l'exhibe le plus ouvertement possible. Excitante, elle l'est encore plus qu'elle ne l'imagine puisqu'elle fait ça bien davantage pour se troubler elle-même que pour me troubler, moi. Elle ne montre pas son corps mais sa volonté d'indécence, et c'est encore plus cru, encore plus brut – pour moi encore meilleur.

Moi aussi, je sens mon visage déshabillé, aussi choquant que mon sexe à l'air. Mais je ne le fais pas exprès. C'est comme si elle me faisait rougir en me surprenant tout nu.

Elle me dévore des yeux tout en réintroduisant tout doucement mon sexe dans sa bouche grande ouverte – c'est cela, maintenant, qui paraît la calmer. Elle réfléchit en me regardant. Ça la distrait de ce qu'elle fait, mais c'est bon quand même. Je veux dire, pour elle. (Pour moi, pas la peine d'en parler.) Elle trouve ça très bon, elle ne peut plus s'en passer, elle ne peut plus s'arrêter, mais ça ne l'empêche pas de réfléchir à ce qu'elle voit sur mon visage. On dirait une gamine gourmande et passionnée.

Je ne veux plus savoir de quoi j'ai l'air. Sans me redresser, sans me rasseoir, j'ai la tête et les épaules soulevées, courbées en avant pour, moi, la regarder faire du plus près possible.

C'était nouveau et délicieux de pouvoir prendre tout mon temps, de faire durer. Par moments, je le gardais à l'orée de ma bouche ouverte pour que Loïc voie le grand travail de ma langue, de mes dents et de mes lèvres, travail qui me semblait d'autant plus beau que, moi, je le faisais à l'aveuglette et le lisais dans son regard à lui, comme une danseuse qui, aux visages levés des premiers rangs, sait tout de suite si elle vole.

Je ne veux pas oublier. Il faut que ça s'imprime dans mes yeux. Je voudrais du temps devant moi. On ne peut pas se fatiguer de regarder quand les mots ne sont plus à la hauteur.

À force de paraître délurée – trop maquillée, trop libre d'allure –, j'avais fini par croire que je l'étais réellement. Oh, je n'étais pas restée vierge longtemps, j'avais connu des garçons, puis je m'étais mariée très jeune, et puis j'avais eu deux ou trois amants après mon divorce. Mais ça n'allait jamais bien loin. Je me laissais désirer gauchement et on faisait l'amour – c'était comme une espèce de passage à vide allant nulle part, une hallucination, un tunnel de chemin de fer. Ça vous secouait, c'était assourdissant, mais on sortait de là raide comme une fleur artificielle automatiquement recoiffée.

Ce soir, avec Loïc, j'avais la sensation éblouissante de mettre mes désirs au grand jour comme je lui avais mis le sexe à l'air – de ne pas me laisser brimbaler bêtement.

Tout d'un coup, je me suis entendue dire :

– J'ai envie de t'embrasser.

Aussitôt, je me soulève encore pour aller à sa rencontre. Mais elle déplie le bras pour me repousser à l'épaule. Je ne comprends pas. Elle essaie de sourire, la bouche toute froissée, les lèvres distendues et luisantes, et je suis fou excité de la voir comme ça, et peut-être même rendu fou amoureux d'elle sur l'instant, jeune femme aux coudées franches. On dirait qu'elle n'arrive plus à refermer la bouche, et ça donne à son sourire quelque chose de pathétique en ce sens qu'il est déjà inoubliable, comme s'il appartenait au passé. C'est encore une réalité chaleureuse et déjà un souvenir au fer rouge. Muriel est toujours à genoux entre mes jambes, et moi toujours affalé devant elle sur la banquette, chemise et pantalon déboutonnés, mains agrippées au velours. Son visage, avec son regard lumineux et voilé, son sourire trop grand pour elle et si gentil, on ne peut voir cela que dans un rêve : c'est pour soi, uniquement pour soi et, si on accepte ce que ça signifie, on avance de mille cases.

J'avais grande envie de l'embrasser sur la bouche, mais j'ai changé d'avis. Il s'est laissé retomber en arrière. Alors j'ai pris son sexe entre mes deux mains comme dans un livre ouvert, et je me suis mise à y poser des baisers.

Elle y met tant de... bon, appelons les choses par leur nom - elle y met tant de ferveur, de tendresse, et ça semble lui donner en retour tant d'émotion, que je sens un tremblement dans ses lèvres. Et voici la certitude qui s'empare de moi. En m'embrassant où il y a le plus de sensibilité, le plus de désir et de privation de l'autre, le plus d'égoïsme et de générosité - le plus de tout ce pourquoi on s'embrasse, les gens - Muriel est en train de m'apprendre à embrasser, que ce soit sur la bouche ou sur la peau, n'importe où. En échange de quelque chose que je lui donne sans bien m'en rendre compte, elle me fait cadeau du secret des filles. Je ne demande pas mieux. J'accepte de me sentir dans la peau et dans le cœur d'une fille pendant un moment. Avec ses lèvres, elle me transfuse tellement sa douceur, sa ferveur, sa tendresse et sa sensualité que je chancelle intérieurement corps et âme comme une adolescente qui ouvre une lettre - c'est l'image qui me vient.

Je ne la vois plus. Je veux dire, son visage. Ses cheveux sont retombés peu à peu devant elle, et ça aussi, c'est un truc de fille : se blottir dans ses propres cheveux comme dans une cachette d'enfant où s'émouvoir à fond, sans trêve.

En revanche, pour embrasser mon sexe, elle le tient pratiquement à l'horizontale. Elle a le visage dessus. Comme tout à l'heure quand elle se lançait d'arrière en avant, elle a reculé les genoux, son dos est aussi à l'horizontale sauf qu'elle le creuse, à dessein ou non, je ne sais pas, mais je me régale. Elle est pour ainsi dire à quatre pattes, un peu en contrebas devant moi. L'adolescente à fleur de larmes n'empêche pas l'homme de trente ans de se passer les yeux à l'eau claire pour en éliminer tout voile triste.

On n'en parle jamais, tout le monde le sait, c'est exactement le dessin d'un cœur : l'évasement très accentué des hanches à partir de la taille, dans cette position, et puis les deux beaux arrondis, de part et d'autre, qui montent se refermer en plongeant dans le fabuleux creux des fesses ouvertes, haussées, tendues. L'adolescente voit le cœur, l'homme de trente ans voit le cœur aussi, et ça lui fait plaisir, et ça lui permet encore plus d'adorer le cul – pour employer un mot qui, après tout, n'est ni triste ni vulgaire, et sur lequel un homme et une femme pourraient s'entendre pour partager sincèrement leurs fantasmes et leurs délires.

J'ajoutais des baisers indéfiniment. Je ne me disais pas : « Bon, j'arrête ! »

Je restais aussi douce et attentive que je voulais dans ma tête et dans mes lèvres, mais le reste de mon corps ne tenait pas en place. Et puis, de temps à autre, il fallait que je plie le cou et que je torde les épaules pour avaler ma salive.

Je m'abandonne complètement, la tête rejetée en arrière sur les coussins du dossier, et je ferme les yeux. Je ne veux rien laisser perdre de ce que me fait Muriel. C'est trop important.

À vrai dire, j'apprends vite à les recevoir, ses baisers, à les boire, à m'en imprégner, me les approprier. J'ai l'impression de les éprouver directement dans ses lèvres et non dans les terminaisons nerveuses de mon sexe, lequel, du coup, n'a plus d'importance. J'ai ses lèvres en moi et, en fait, je ne suis plus rien d'autre.

À la fraction de seconde où elles se posent, et où le baiser me coule dedans, je m'entends gémir comme si un autre homme était en train de perdre le contrôle de lui-même dans la pièce. Et bientôt, j'en arrive même à oublier complètement les lèvres de Muriel pour ne penser qu'à elle, à ce qu'elle veut me faire ressentir par ses baisers, à ce qu'elle ressent elle-même, et voilà, alors que c'est elle qui m'investit, m'envahit, me submerge, c'est moi qui voyage dans une femme comme si j'étais elle.

Je redeviens moi brusquement. Elle est en train de m'embrasser sur la bouche. Je rouvre les yeux en plein ses cheveux. Elle m'embrasse exactement comme sur le sexe. Même douceur invraisemblable, même tendresse infinie, désintéressée, même émotion à en fondre comme un glaçon bleu sur le sable doré, côté lagon. Qu'avait-on en soi de froid et dur, qui se liquéfie et se réchauffe dans ces moments-là ?

Peu à peu, je me mets à avancer les lèvres à la rencontre de ses baisers, mais c'est presque insupportable tellement les miennes aussi deviennent soyeuses et sensibles.

Elle a mis un genou sur la banquette, entre mes cuisses, pour s'avancer au-dessus de moi, en appui sur les bras. Je ne sais pas si elle le fait exprès, mais ses gros seins reposent sur mon thorax de façon à me paraître à la fois énormes et légers. Dommage qu'elle ait toujours son soutien-gorge. Ils me caressent quand même pour de bon à travers ma chemise.

J'accepte ses baisers comme si j'étais une fille - comme si on était deux filles aussi troublées l'une que l'autre. Je n'ai jamais connu cela, dans toutes mes histoires belles ou moches.

Tous les deux, on avance le visage pour appuyer, avec de petits... - je voudrais connaître un autre mot que « gémissements » - de petits bruits incontrôlables dans la gorge, dans l'arrière-creux du nez, dans le fin fond des oreilles et de la nuque - des petits bruits émus... Je ne m'étais jamais permis cela, dans la vie, jusque-là - me faire tout doux, tendre, sensible, et appuyer le moins possible en avançant la bouche sans arrêt.

Tous les deux, on appuyait à peine en bougeant

tout le temps – on avançait la bouche comme dans du coton et je me sentais sourire, avec les yeux qui piquent.

C'est moi qui ai arrêté. Je ne me suis pas redressée mais soulevée au-dessus de lui jusqu'à ce que mes seins ne touchent plus sa poitrine. Je ne sais pas ce qui me prenait mais j'étais contente de les sentir gros et lourds. Je me sentais à la hauteur de ce qui arrivait, fortement sexuée, énormément féminine.

J'en éprouve un petit coup de tristesse délicieux, aussitôt consolé car ils m'effleurent de nouveau – ils ne sont pas restés longtemps dans le vide et moi non plus.

Dès que ses cheveux m'ont quitté, j'ai fermé les yeux. Je sens qu'elle me regarde, visage au-dessus du mien. J'essaie de me faire tout calme, tout lisse. Pendant ce temps, je voudrais encore me dédoubler, sortir de moi-même et tourner autour de cette femme qui enrobe et enferme un homme dans son érotisme. Je suis sûr que j'arracherais le joli abat-jour de laine pour y voir mieux, tant pis pour l'éblouissement. Soudain, elle me parle (assez bas mais, heureusement, en prenant son temps, en articulant bien) :

– Tu vas voir ce que je vais te faire !... J'en ai trop envie !...

Elle file à reculons se remettre comme avant, à genoux entre mes cuisses. Et ce n'est pas quelque chose qui recommence. Elle n'est plus la même. Plus question de me regarder. Des deux mains, avec la force invincible que tout homme grille de subir dans ces cas-là, elle écarte les pans de mon pantalon, tire dessus – j'ai eu hâte de me soulever – puis fait de même pour mon slip.

Je voulais tout d'un homme entre les mains – comment appelle-t-on ça, sérieusement ? – toutes ses fameuses « parties génitales », ou alors, encore plus horrible, « la verge et les testicules ». Ces mots n'avaient rien à voir avec la réalité dont je m'étais approchée volontairement et où je tombais maintenant de tout mon élan, enfin emportée par la masse de cette créature sauvage fabuleuse qu'on porte vivante et prisonnière en soi-même, et pas si facile à libérer, que les magazines féminins avancés appellent par un beau nom de bête : libido.

Elle tient l'ensemble dans ses mains en coupe, sauf que les doigts d'une de ses mains maintiennent mon sexe à la verticale ou l'inclinent comme elle veut, ou le manient à la façon d'un outil, d'un instrument avec lequel elle sait ce qu'elle a à faire.

Elle ouvre grand la bouche et se jette dessus avec une avidité qui paraît presque douloureuse. Elle se déchaîne.

Je devenais folle, mais folle exactement comme il le fallait : je me déchaînais en gardant toute ma lucidité. J'aspirais, et je malaxais, je léchais et je suçais en accentuant les mouvements le plus possible, en accélérant brutalement, en freinant brutalement, en me faisant tour à tour appliquée, désordonnée, organisée, incohérente, et cela sans cesser un instant de penser à ne jamais risquer de faire mal à Loïc. Je l'empoignais, je l'embouchais, je le secouais, et je crois que j'avais trouvé le coup, effectivement, pour malmener amoureusement son sexe à la garçonne. Je veux dire que, souvent, en faisant l'amour, les femmes jugent les hommes un brin trop masculins. On les voudrait plus subtils. Alors j'imagine que les hommes, de leur côté, nous trouvent parfois assez mièvres, trop molles et comme anémiées dans nos mouvements et nos caresses. Pour savoir, il faut avoir vu un homme se « caresser » tout seul. Il n'a pas peur. Je savais, mais je n'en avais jamais tenu compte. Et je découvrais là que, effectivement, on pouvait y aller assez fort sans faire mal à condition d'avoir soi-même le diable au corps.

Elle ne me voit plus mais elle ne ferme pas les yeux. Elle laisse son regard partir n'importe où parce que, de toute façon, c'est un regard perdu. Quand il croise le mien, c'est celui d'une aveugle devenue folle. Je la reconnais à peine et pourtant c'est elle, habitée, sublimée, fantastique. Souvent, elle doit croire fermer les yeux puisqu'elle n'y voit rien, mais ils sont encore ouverts à demi, on en distingue le blanc sous les paupières, et cela lui donne un pur visage de sculpture primitive, à la fois profondément humain et délivré du temps.

Deux actions se conjuguaient, parfois se contrariaient et c'était encore meilleur : celui du sexe d'homme que je manipulais comme une sorte d'énorme brosse à dents bien ferme et infiniment veloutée - ou plutôt « brosse à bouche » - que je voulais passer partout dans moi, et le mouvement de ma tête que j'agitais comme pour obtenir la même action si ce sexe était demeuré toujours immobile.

Elle n'a pas peur de ce que je pourrais penser. Elle y va à fond. Par moments, elle maintient mon sexe immobile, et c'est un rapide et solide mouvement alternatif de sa tête comme celui d'un cylindre sur un piston, et elle ne craint pas que ça paraisse mécanique et obscène. C'est d'une beauté suffocante. Elle y va de toutes ses forces.

Depuis combien de temps voulais-je devenir une femme capable de ça, libre de ça ? Me sentir toute proche des hommes, et eux proches de moi. Qui m'en avait empêchée, eux ou moi ? Peu importe. Je démolissais un barrage.

Depuis toujours, chaque élan de confiance vis-à-vis d'une femme m'a donné une flambée de désir. Ici, je connais l'inverse - une femme a confiance en moi - et ça me fait le même effet : une grande giclée d'essence dans les étincelles.

Je me tournais son sexe dans la bouche comme si j'avais voulu me la nettoyer avec acharnement de tout le poison du passé, dont il aurait été l'antidote inespéré, miraculeux. Je me le passais et me le repassais partout, avec l'angoisse des endroits morts, vides, blancs, oubliés. J'appuyais, enfonçais, tournais, agitais.

Je m'étais remise à gémir à bouche fermée, je

veux dire à bouche pleine, et si bruyamment que, si j'avais eu la bouche libre, je n'aurais pas gémi mais crié. L'envie de crier commençait à me faire mal dans la nuque et dans les oreilles.

Combien de temps ça dure ? Ça m'est égal. Quand je m'en rappellerai, ce sera long. En attendant, je veux que ça dure et je tiens bon. J'aime trop ce qui se passe pour accepter que ça s'arrête. Muriel est trop belle.

Trop belle, justement, et si puissante, si intense que, à l'instant où je vois ce qu'elle désire maintenant de toute urgence, j'y cède sans même le décider. En ce sens, elle se joue de moi. Je me sens emporté comme si la pesanteur terrestre venait d'être supprimée. C'est Muriel qui a fait ça quand elle l'a voulu. Je suis soulevé, démantelé, brûlé. Elle m'a eu et c'est beau.

Je me suis toujours demandé comment se passe un orgasme de fille. L'élément de surprise y est peut-être important : ça vous prend presque brutalement, on ne sait même pas d'où c'est venu. Votre propre corps ne vous appartient pas. Vous êtes un mystère pour vous-même.

Ça déferle en accéléré comme les grandes secousses d'un accident qu'on n'a jamais vu venir. On ne sait plus qui on est, dans quel passé ou dans quel futur, dans quel présent d'un autre univers. Comment appeler cela « jouir » ? Dictionnaire : *goûter le plaisir sexuel*. Dans ces conditions, j'ai commencé à jouir dans la voiture et je n'ai plus cessé pendant deux heures.

Que je le veuille ou non, je crie. Ça m'est très rarement arrivé. Les hommes ne s'en vantent pas. On adore faire crier, mais on a honte de crier soimême. Je voudrais voir la fierté de Muriel.

La première giclée m'entra dans la gorge à une vitesse folle. J'avais oublié cette sensation de glissant absolu, de facilité confondante, invincible. Je n'avais pas eu le temps d'accepter, c'était fait, passé, avalé, encore plus rapide et fluide que le mot *oui*, que je disais en même temps à tout le reste de la vie comme si cela m'avait réconciliée, presque à la même vitesse, avec la terre entière. Il en fut exactement de même avec la deuxième giclée, tout à fait comme s'il n'y en avait pas eu de première. Le sperme fila doux, chaud, nacré, irrésistible. La troisième, au contraire, s'arrêta au fond de ma gorge, la quatrième me remplit la bouche, et la cinquième déborda au coin de mes lèvres – tout cela presque simultanément, mais c'est que j'étais hors du temps, comme dans les films quand tout va à la fois follement vite et au ralenti.

Mon cri continue. Je l'entends toujours quand, abandonnant mon sexe, elle se jette de tout son long et de tout son poids et de toute sa chaleur sur moi pour m'embrasser sur la bouche, la sienne pleine de sperme.

Ça m'est très rarement arrivé. C'est complètement fou. En fait, je ne connaissais pas. On avait failli me le faire, à l'occasion, mais, au dernier moment, cela s'était ramené à un léger baiser au goût étrange. Là, elle en est pleine. Dans la bouche, sur les lèvres, le menton, les joues, les pommettes, les cils – partout. On partage à la folie. Ça aussi, c'est elle qui l'a décidé, je n'y suis pour rien, d'ailleurs je n'aurais pas osé. Je me laisse emporter dans son fantasme, j'y participe sans réserve, et c'est comme si les grandes secousses inattendues recommençaient. Je ne me contrôle pas. On se goinfre tous les deux, moins de sperme que du bonheur insensé de partager une telle chose. En fait, je n'ai plus aucune force et c'est toujours elle qui m'embrasse, qui me fouille, qui me lèche tout le pourtour de la bouche et me refourre sa langue comme une cuillère. On crie tous les deux – appelons ça crier (il faudrait un verbe intermédiaire courant, familier, précis, entre gémir et crier).

Ni l'un ni l'autre ne sait plus lequel des deux crie. Vibrations acoustiques. Émotion inexprimable autrement.

Et soudain, on n'est plus ensemble. Je suis largué comme une bouée. Elle m'a enserré une cuisse entre les siennes et elle donne de grands coups contre moi, qui m'arc-boute pour lui faciliter les coups. Elle se met à crier, simplement crier à tue-tête.

Samedi, 4 heures 30

Une sensation de plaisir, de bien-être, de bon-heur, de tout ce qui est bon sans réserve, sans distinction entre le physique et le mental. La vie est en couleurs succulentes, même dans le noir de la nuit, et c'est absolument normal. Le Père Noël et les bonnes fées disaient vrai. Ce n'était pas un rêve. La réalité est bien comme ça, aussi savou-reuse et inaltérable qu'on le croyait.

Tout d'un coup, je ne sais plus si ce n'était pas un rêve. Je découvre que je suis en train de me réveiller. Je dormais. En tout cas, la sensation est réelle. Avoir une peau et être dedans est un pur plaisir.

Je suis nu et c'est encore meilleur. Je me réveille un peu plus. Ce n'est pas seulement ma peau qui me donne l'eau à la bouche, mais celle, nue aussi, chaude, souple, douce, lisse, d'une autre personne qui est là. Elle n'a pas de nom, pas de visage, elle sent les cheveux fous et la peau dorée, elle est à moi comme un beau grand gâteau tendre et craquant sorti du four tout pour moi, qui suis également neuf, anonyme et délicieux.

Si, on a des noms. Loïc. Muriel. Raccompagnée, champagne, banquette et... Ce n'est pas une déception. Même à peine vieux de quelques heures, les souvenirs peuvent donner un choc. J'ai du mal à croire qu'il s'agit de moi, tellement c'était bien. Ou plutôt, parfait. J'ai beau me rappeler qu'elle ne s'est même pas déshabillée alors que j'aime tant les femmes nues, ce qui s'est passé hier soir m'apparaît comme une splendeur. S'il arrive aux artistes de réussir une œuvre, cela signifie que tout le monde peut connaître un moment de beauté humaine absolue dans sa vie, un jour ou l'autre, quand toutes les chances ont le même rendez-vous.

Je suis réveillé. On est dans un grand lit, sous la couette, nus tous les deux.

Qu'est-ce qui s'est passé hier soir, après ? Comme si j'avais perdu connaissance. Je me vois complètement inconscient sur cette banquette, Muriel sur moi, pantelante et défaite dans sa jupe plissée. Elle a dû finir de me déshabiller comme elle pouvait, puis m'entraîner dans sa chambre – je ne pense tout de même pas qu'elle m'ait porté – jusqu'à son grand lit de femme seule. À moins qu'elle m'ait d'abord entraîné tant bien que mal, déshabillé ensuite ? Puis, elle, se déshabiller, éteindre partout, se glisser près de moi sous la couette, s'endormir enfin à toute vitesse comme lorsqu'on a trop bu et qu'on ne tient plus debout, qu'on a soif de vide et de noir. Ou alors, elle s'est endormie avec moi sur la banquette, elle s'est réveillée au milieu de la nuit et m'a entraîné et déshabillé sans me réveiller. Elle m'avait fait retomber en enfance.

On bouge ensemble, ses cheveux me balaient la figure et on se retrouve bouche à bouche, dans les bras et les jambes l'un de l'autre. Moi qui aime tant aussi ce qu'on appelle, comme s'il s'agissait d'un cérémonial de comédie, les « préliminaires », je comprends tout de suite que nous allons faire l'amour directement à la papa et à la maman comme dans les livres d'enfants, et c'est une très bonne surprise ! Comment se priver une seconde d'être entièrement dans la chaleur l'un de l'autre ?

J'ai relevé une cuisse très haut, le genou presque à mon oreille. Il avait déjà enjambé l'autre et voilà - je ne sais même pas lequel de nous avait montré le chemin (peut-être tous les deux, oui, ma main touchait la sienne) - c'était enfoui ! J'ai repensé à la veille et je me suis dit que là, vraiment, oui, par rapport à ma bouche, ça allait aussi loin qu'on voulait. Son sexe, que j'imaginais maintenant immense, et qui pouvait s'enfouir là complètement, sans un millimètre de retenue, était un soulagement immense, et immensément doux.

Autant mon sexe est simple, dur et brûlant, autant le sien est d'abord un fouillis de chair tendre et brûlante, puis quelque chose d'aussi simple que le mien, mais en plus brûlant et puissant. Je n'ai jamais aimé l'expression « prendre une femme », et là je suis content, justement, de ressentir l'inverse : Muriel m'a happé, attrapé, elle m'a pris et elle me tient. Le sexe de la femme est un organe qui sert à prendre l'homme par le sien. Et c'est une action qui dure. Les minutes passent et Muriel continue à me prendre. Dès le début, dans la voiture, en sentant qu'elle pourrait se dire, après : « je l'ai eu », je suis devenu comme du coton. Je n'avais plus aucune énergie ailleurs que dans le trouble et le désir. J'attendais.

J'avais tout de même envie que ça entre encore plus loin - je me collais à lui comme si c'était possible, et je l'enserrais dans mes cuisses, dans mes jambes que j'essayais de croiser dans son dos comme s'il y avait encore à faire entrer. Mais nous étions à fond ventre à ventre, tout y était déjà.

Je suis réveillé mais je suis pris dans ses cuisses comme dans un rêve, sans doute parce que j'en ai tant rêvé. Elles sont bien comme je l'imaginais : on n'arrive pas à y croire, on ne s'en sort plus. Je me rends compte que, jusqu'ici, dans ma vie, j'ai employé l'adjectif « féminin » bien au-dessous de ses possibilités.

Il était sur moi comme un paquet de linge, à part son sexe dur et brûlant perdu en moi qui ne demandais pas mieux parce que rien n'aurait pu être encore mieux. J'avais le ventre noué d'un plaisir sourd et lourd à n'en plus finir, qui ne dépendait plus de moi, qui m'investissait, m'envahissait comme une maladie virulente et voluptueuse.

Ça continue : c'est elle qui fait ce qu'elle veut de moi, physiquement et moralement. Sans chercher à me dominer le moins du monde, elle me fait passer par son désir comme une magicienne qui vous met dans un état second pour faire ce qu'elle veut de vous. Je suis un pantin de chiffon avec un grand sexe en bois. Ça va flamber en deux secondes et je serai en cendres.

On faisait l'amour simplement mais dans une lenteur incroyable, inespérée, emportés ensemble sur une rivière presque immobile. Je continuais à tout mélanger dans ma tête – mes bras et mes jambes, ma bouche et mon sexe, moi et le fil de l'eau.

Jamais connu de si grand luxe. Émerveillé qu'elle puisse, un sexe d'homme en érection enfoui dans le ventre, me tenir par la taille avec ses jambes croisées dans mon dos. C'est comme si on vous démontrait lumineusement que la vie est encore beaucoup plus belle qu'on ne le dit.

Plus haut, j'ai l'impression que ses seins remplissent aisément un vide affreux séparant les êtres humains au niveau du thorax. C'est la même vie de château qu'au niveau des cuisses. Et je sais aussi que nous ne cesserons pas de nous fouiller la bouche au ralenti, tout le temps que ça va durer. Elle croise, décroise et recroise posément les bras et les jambes dans mon dos, sur mes épaules, autour de ma taille. Moi je sais que j'ai un bras autour de son cou, l'autre autour de sa taille. Une autre fois, j'espère que je me saisirai d'elle par les cuisses, à pleins bras, mais ce n'est pas le moment, ça nous séparerait un peu du haut.

Comme il me tenait bien, je pouvais bien descendre les bras dans son dos et l'attraper à pleines fesses pour le coller à moi, toujours comme si ça pouvait encore entrer et entrer contre toute évidence. Mes doigts appuyaient n'importe où sans se gêner mais ce n'était pas pour lui faire perdre la tête, seulement pour appuyer, pour le plaquer, pour le rentrer et le garder rentré.

Sous la pression de ses mains, de ses doigts, je suis à la fois sans forces et fou de vivre – ça me fait revivre tout hier soir.

On faisait l'amour tendrement, sans l'ombre d'une arrière-pensée. C'était beau et bon, et rien d'autre.

À force d'appuyer, ses doigts me rentrent dedans. Enfin, au moins un, mais je n'y comprends rien. Lentement et pourtant d'un seul avalement inéluctable, comme si j'y avais cédé d'avance, et j'ai l'impression invraisemblable que mon sexe, dans la secousse de cette nouvelle émotion qui me fait venir deux larmes sous les paupières, entre encore plus loin et plus dur en elle.

Décidément, j'aimais les hommes, leur espèce

de timidité affolée dès qu'on les touche où c'est soi-disant défendu, et les soubresauts attendrissants de leur sexe pour avouer qu'on les rend heureux et qu'ils ne demandent que ça – abandonner toute fausse dignité masculine dans les bras d'une femme. À moins qu'ils ne puissent pas s'en empêcher sous le choc de la caresse, mais ça m'étonnerait.

Cette fois, plus question de faire durer ou non. Je n'ai plus les moyens de décider de quoi que ce soit. Je ne me suis jamais senti aussi nu et vulnérable. Je suis pris et enfermé à la merci d'une femme, et c'est une jouissance qui me fait pleurer en secret.

Comme si on l'avait décidé ensemble à l'avance, on se laissait aller tous les deux complètement. S'il y avait une chute à la fin de la rivière, on ne demandait qu'à se noyer en se faisant pesants et dociles. Loïc pourrait en mourir dans mes bras, et moi dans les siens et, je ne sais pas pourquoi, à peine avais-je pensé à un tel degré d'abandon à l'autre et à soi, j'ai commencé à...

Sans le vouloir, j'en suis sûr, elle déplie lentement les jambes, retire tout doucement les doigts, moi haletant. Elle remonte les mains et on ne s'enlace plus qu'avec les bras, tous les deux à peu près dans la même position, quatre jambes soudées tout du long. Et ce que les gens appellent froidement « plaisir » alors que c'est si rouge et invincible vient sur nous comme une lave incandescente.

Non, ce n'était pas la mort qui nous attendait au loin mais le sommeil, où nous avons rechuté les yeux fermés comme des bienheureux qui ne veulent rien savoir – comme un frère et une sœur qui auraient fait l'amour dans le flou de la nuit, tout beau, tout léger.

Samedi, 10 heures 30

C'est une odeur et une chanson douces et fortes : le café qui passe. Je me réveille vite, cette fois, les idées claires.

Je suis seul sous la couette. Muriel est sûrement à la cuisine. Je crois qu'il pleut dehors.

Une dose d'héroïsme et bing ! j'exécute un petit raid fulgurant à la salle de bains - retour en kilt-serviette.

Il venait de se recoucher en catastrophe. Je lui ai lancé à mi-voix, en me sentant rire jusqu'aux oreilles dans la pénombre :

– Bonjour, mon petit gars !

J'ai posé le plateau et je suis allée ouvrir la fenêtre, replier les volets. Je me sentais invulnérable.

Je me sens si bien que je ne me demande même pas quelle tête j'ai au réveil devant une fille.

Le genre de pluie bien peignée pour toute la journée. L'air était presque doux, la lumière toute grise.

Elle referme la fenêtre, rabat le voilage.

Le lit est très bas dans la petite pièce. Muriel me paraît encore plus grande. Le genre de fille chaussée haut du matin au soir, même en peignoir éponge. Mais quelque chose tranche beaucoup sur mon image d'elle au bureau : ici, elle ne s'attache pas les cheveux. Je n'y avais pas pensé dans mes fantasmes, et même pas hier soir – les choses allaient trop vite. Les cheveux sur les épaules et sur le front la rendent encore plus féminine et sympathique.

Je me rappelle cette nuit. Ça vient de l'intérieur de moi. J'ai ses cuisses dans le corps.

Elle quitte la chambre, revient avec deux coussins de la banquette. Elle s'est donné la peine de préparer le petit déjeuner et, quand elle s'agenouille et se penche pour glisser les coussins derrière les oreillers, je m'abstiens de guetter les bâillements du peignoir.

Pourquoi ne dit-on jamais que tout le bonheur ou le malheur de la vie dépend d'un cillement de paupière, d'une ombre infime sur le visage, d'un geste à peine esquissé, d'une intonation presque imperceptible dans la voix ?... Il avait le chic pour ne pas me décevoir sur les petits détails.

Il s'était assis. J'ai eu peur qu'il prenne froid.

– Tu ne veux rien sur les épaules ?

Je lui ai arrangé les cheveux avec les deux mains. Quand on vit avec un homme, pourquoi ne lui fait-on pas cela tous les'matins ?

Je sens qu'elle est tentée de me caresser attentivement le visage, et je suis à deux doigts de lui encercler les hanches tant qu'elle est à genoux mais elle aussi choisit de donner une priorité sacrée au petit déjeuner ensemble.

– Non, ça va.

Je n'ai pas froid et je me sens libre. Pour sa part, elle envoie promener ses mules à talons et, sans ôter son peignoir, glisse les jambes sous la couette pour me rejoindre contre les oreillers. Je tire le plateau à nous, assis côte à côte comme des mariés. Sans le vouloir, j'ai aperçu qu'elle porte un soutien-gorge.

Je suis peut-être assez perverse, mais je reconnais que j'aime être encore habillée à côté d'un homme nu. Ou simplement complexée par ma grosse poitrine ? Dans les deux cas, il y a quelque chose de gênant, mais cette gêne me met dans un drôle d'état qui me donne envie – envie tout court.

Je crois que nous n'osons pas nous embrasser.

Ce café et ces tartines n'ont rien d'extraordinaire à part le pouvoir de me révéler ou, du moins, de me rappeler ferme que le café noir brûlant et les tartines de beurre frais, le matin au lit, sont en haut sur la liste des merveilles du monde – même avec des gestes légèrement incertains et saccadés.

Nous ne disions pas grand-chose, un peu – un tout petit peu – comme un vieux couple qui a une grande explication sur le feu et qui hésite jusqu'au dernier moment. Je connaissais bien :

on a peur des vraies paroles, qu'elles soient horribles ou merveilleuses.

Aujourd'hui, je n'y coupe pas. Hier soir, mes fantasmes étaient seulement partie remise, voilà ce qui rendait beau ce qu'on a fait à la place. Pour moi, en tout cas. Mon aveu dans la voiture nous avait donné la tremblote et, si nous avions cédé à la facilité d'oublier cela dès le premier baiser, la tremblote se serait calmée. On aurait fait l'amour n'importe comment, sans prendre de risques, sans le trac, sans le choc.

– C'est bon !

– Tu voudras plus de pain, encore du café ?

Ça n'avait rien à voir avec la faim mais, plus on mangeait, plus on devait s'appliquer pour avaler. Je sentais de plus en plus sa chaleur à travers mon peignoir. Ensuite, il faudrait repousser le plateau. Et ensuite ?

Je finissais ma tartine de la main droite. De la main gauche, je lui ai pris la main droite étant donné qu'il tenait sa tasse de la main gauche.

Les filles ! Un homme qui saurait cela - qu'on doit se donner la main au petit déjeuner -, et qui l'appliquerait aveuglément, ne resterait jamais en rade.

Nous avons avalé comme ça les dernières miettes, les dernières gouttes. Au bout d'un moment, il est arrivé à dégager sa main avec naturel. Il a saisi le plateau et l'a déposé par terre à côté du lit. Pendant ce temps, j'inclinais les coussins et tapais les oreillers. Quand il s'est laissé retomber sur le lit, j'ai tendu juste à temps le bras sous ses épaules et, pour ainsi dire, je me suis enroulée à lui aussitôt.

Encore un long moment.

- Alors, tu me dis ?

J'ai son visage dans le creux de l'épaule, ses cheveux partout. Drôle de situation. Je l'aime réellement beaucoup et je voudrais être tendre, mais je ne suis pas amoureux.

Pourquoi, drôle de situation ? Les fantasmes ne peuvent-ils se vivre tendrement ? Muriel m'a excité par l'intuition que j'avais de sa générosité. Du moins était-ce bon cœur, beau cul - la première chose étant essentielle.

Elle reprend :

- Je vais te caresser tout chaud, tout nu, Loïc. (Elle avale fort sa salive.) Je vais te faire parler, tu vas voir !

J'avale fort ma salive. Sa main descend de mon épaule sur ma poitrine et sur mon ventre. Qu'elle en ait conscience ou non, elle sait passer la main sur un corps d'homme, avec juste ce qu'il faut d'ongle, de pulpe et de paume. J'en ai des frissons qui m'enveloppent comme un filet trop serré. Elle est de la belle race des filles qui savent que les garçons ont des bouts de seins et, quand sa main glisse sur ma poitrine, quatre ongles escaladent successivement la petite pointe de gauche comme s'ils suivaient la seule ligne de passage possible, à la suite de quoi la pulpe du pouce s'y attarde et y tourne doucement, comme pour bien repérer l'endroit pour le retour. Avant de quitter, elle appuie plus fort en tournant plus vite, et ça me provoque dans le ventre un rapide cisaillement qui me rappelle ce qu'on éprouve en avion dans un trou d'air. Elle voulait connaître ma race de garçon.

– Oui ?

– Écoute, Muriel, je...

J'ai la gorge nouée. Malgré le tissu épais du peignoir éponge, malgré l'entrave du soutien-gorge, l'un des deux seins de Muriel, celui qui repose sur ma poitrine, côté gauche, me paraît si lourd et si chaud qu'on pourrait mesurer son pouvoir sur moi en grammes-degrés, nouvelle unité de calcul érotique véritablement conçue (à l'instant par moi) en pleine expérience. J'ai la tête qui tourne. Il va falloir aussi dire ça en bon français.

Rien ne pouvait me faire cesser d'insister :

– Oui ?

Ses ongles ont atteint le bas du ventre et s'insinuent en se faisant plus incisifs. Quand j'ouvre la bouche, je voudrais que ce soit pour parler mais c'est pour respirer.

Elle redit encore :

– Oui ?... Dis-moi...

Ça y est, je sens le bout de ses doigts à la racine de mon sexe. Je ne sais pas comment j'ai fait – trop d'émotion ? – pour ne pas être en érection jusqu'à cet instant. Mais si je m'écoute, j'en suis fier. Je suis content que mon sexe soit encore plié vers le bas entre mes jambes – simplement il me paraît lui aussi lourd et chaud – et que Muriel puisse l'effleurer, le toucher comme ça en murmurant des « oui ? » dans mon cou. Ça veut dire que j'apprends à me laisser aller. Mais ça ne dure pas. Justement peut-être parce que je ne lui demande rien, il grossit et durcit – je le sens qui grandit sur ma cuisse. Muriel s'en rend compte aussi du bout des doigts. Je ne vois pas son visage mais, à sa façon tranquille d'avancer encore la main en la dépliant, et de la refermer sur mon sexe pour s'en saisir franchement et le relever, le redresser, l'immobiliser comme si elle avait toute la journée devant elle puis commencer à la caresser, je devine qu'elle sourit.

– Muriel, je...

– Oui ?

Du pied, j'achevai de repousser la couette. Je ne craignais plus du tout que mon homme nu s'enrhume. Ça ne m'aurait pas gênée qu'il ait la chair de poule, au contraire. En fait, il était bouillant.

Je sais ce que j'ai, en plus de la timidité. J'ai peur d'abîmer le climat. Moi-même, il m'est déjà arrivé d'être bêtement refroidi en jugeant trop vite hors désir, hors complicité, deux ou trois mots de l'autre. Il faut absolument que je trouve les phrases exactes. L'érotisme est le domaine par excellence où les malentendus récoltent un furieux calme plat.

– Quand je t'ai connue, Muriel, je... j'ai...

On aurait dit que finir une phrase, pour lui, c'était comme de rester sous l'eau pour une balle de ping-pong.

Je faisais pianoter mes doigts au ralenti pendant que ma main glissait en fourreau millimètre par millimètre.

Je sais qu'elle sourit.

– Oui, Loïc ?

Comme sur la banquette hier soir, il ne parvenait plus à tenir assis. Il glissait, écartait insensiblement les jambes, relevait d'un rien les genoux.

Soudain, j'ai peur que la folie d'hier soir la reprenne et lui fasse encore oublier que j'ai quelque chose à dire. Cette fois, étant décidé à parler coûte que coûte, je ne supporte plus l'idée de me taire. Comme je ne veux pas parler fort, ses oreilles doivent rester proches et ouvertes.

Il faut que je me lance et que je ne m'arrête plus. Tant pis si ce n'est pas un bon début, je me rattraperai comme je pourrai.

– Eh bien écoute, je... si je veux être sincère, il faut que je te dise... le fantasme qui me vient quand je pense à toi, je pourrais l'avoir avec n'importe qui, mais...

Ça va, c'est assez facile quand ce n'est pas commencé pour de bon. Simplement je m'arrête tous les deux ou trois mots comme dans une côte. De la main droite, Muriel continue à me caresser comme si c'était pour me maintenir en vie. Mais elle a remonté la tête sur ma poitrine pour avoir l'oreille gauche plus près de ma bouche. Moi, j'envoie une directive à mon bras gauche : déplie-toi, hausse-toi et va relever les cheveux de Muriel pour lui dégager l'oreille afin qu'elle m'entende très bien. Mon bras y parvient et, même, il permet à mes doigts de rester dans les cheveux de Muriel, au-dessus de son oreille, et de caresser là en parlant, comme elle ailleurs en écoutant.

Je continue :

– ... mais à condition qu'on me le permette. Il y avait quelque chose en toi, dans ton allure, sur ton visage, qui me faisait penser, ou deviner, ou espérer que, si on faisait l'amour ensemble, tu aurais une envie insensée de jouer avec mon trouble, de me faire délirer, de jouir de mon désir comme si...

– Oui ?

Ce oui-là est un peu gourd, un peu plus serré, comme se font maintenant les doigts et la paume de Muriel.

– ... comme si tu avais, toi, en toi, un fantasme à réaliser un jour : faire délirer un homme, jouer avec son trouble, avec son désir comme si...

Je m'embrouille. Je voudrais être clair. Ma poitrine et mon ventre montent et descendent sans arrêt. Qu'est-ce qui m'essouffle ? À mon insu, mon grand fantasme est peut-être cela, avant tout : qu'une femme me fasse parler – au sens de tout dire, tout avouer – en me caressant. Décidément, mes pensées tournent en rond : mon fantasme, ce serait qu'on me fasse dire mon fantasme. Je sens Muriel qui écoute et je ne peux plus respirer.

– Oui ?

Je deviens fou demandeur de ses « oui » interrogatifs, qui signifient à la fois *d'accord* et *tu peux avoir confiance*, et *j'adore te troubler*, et *j'ai hâte de savoir ce dont tu meurs d'envie*, et *j'attends, j'attends*, et *ça m'excite que tu n'oses pas le dire*, et *quand je le saurai, on le fera* – bref, tous les « oui » auxquels on s'est mis brutalement à rêver au temps de l'adolescence, le point d'interrogation étant là pour : « Toi aussi tu veux ? Toi aussi comme moi, avec moi ? »

J'imagine une femme avouant gauchement à un homme dans une voiture : « J'ai un fantasme : vous faire avouer le vôtre et le réaliser avec vous. »

Ou bien je lui déposais délicatement le sexe sur le ventre, j'ouvrais la main en grand et léger, et je lui caressais tout à la fois. À chaque aller, mes doigts descendaient davantage, filaient en dessous comme deux ou trois plumes dans une petite forêt. L'air de ne pas y toucher, l'index et l'annulaire suivaient les plis de jointure. Le médium suivait la couture médiane et allait droit effleurer le tout début du sillon. Loïc sursautait comme un enfant pris en faute.

Je recommence, à bout de souffle dès le début :

– Muriel, par ton allure, par tes expressions et tes regards, tu m'as fait penser, ou deviner, ou espérer que, si on faisait l'amour ensemble, ton premier désir serait d'être complice du mien. Ton plus grand trouble serait d'augmenter le mien. Tu me donnais l'impression d'avoir autant envie de répondre aux envies secrètes d'un homme, en tant que femme adulte, que moi j'avais envie, adolescent, de voir une femme se déshabiller devant moi en prenant bien soin d'être, à chaque instant, le plus possible indécente. Et là, « autant envie », je te jure, ça veut dire quelque chose !...

J'étais enfin sûre qu'il pourrait parler longuement et en détail et, pour l'aider à tenir la distance, j'ai pris moi-même un rythme très doux et régulier pouvant durer autant qu'on voudrait : ma main enveloppait son sexe et l'y faisait coulisser le plus simplement possible en longs va-et-vient, sans autre prétention que de tenir un homme en état de fantasme et de fragilité – pour que, une fois commencé à montrer ce qu'il avait en tête, il ne puisse rien garder pour lui.

– Alors je me suis senti libre de laisser mon imagination reporter sur toi les fantasmes qui me tenaient le plus à cœur. Je veux dire, des vieux fantasmes virulents de l'adolescence dont je viens de parler.

On retenait son souffle comme si, moi en le caressant et l'écoutant, lui en parlant, on entrait dans un nouveau monde.

J'avais peur de rougir en disant mes désirs à voix haute. Or je me sens blanc, les traits tirés, la poitrine vide, bras et jambes claqués. Si ce que je ressens pouvait s'acheter, on y sacrifierait tout comme pour de la drogue. Or, mes désirs, je ne les ai même pas encore dits !

Hier soir, c'était un bébé dont je faisais ce que je voulais. Ce matin, un grand garçon qui ne pouvait rien cacher – plus qu'indécent, obscène en quelque sorte, et j'étais folle de ça. J'adorais ce qu'il devait ressentir.

– Dès que je pensais à toi, dès que je te voyais dans ma tête, ça remontait à toute force et je... seul chez moi, par exemple, quand je pensais à toi, c'était l'enfer, je...

Je l'ai interrompu avec une brusquerie à laquelle je ne m'attendais pas moi-même, et qui m'ébréchait la voix alors même que je parlais tout bas :

– Tu t'es caressé en pensant à moi ?

Je prends mon temps pour répondre mais ça ne va pas fort.

– Un peu... pardon, je voulais dire beaucoup, à ne plus vouloir... à ne plus pouvoir m'arrêter...

Il avait commencé par avoir honte, par dire « un peu » à la place de « beaucoup », et s'était repris juste à temps. C'est si facile de retomber dans la fausse dignité sexuelle ordinaire... J'avais envie de l'embrasser.

On respirait ensemble. Je continuais à le caresser quasi machinalement, mais en regardant plus attentivement ce que je faisais.

– Dis-moi... raconte-moi... je t'en prie...

J'ai envie de l'embrasser, de fondre dans sa bouche et de fondre dans ses cuisses comme cette nuit quand on faisait l'amour entre deux sommeils. On devrait pouvoir dire qu'on est amoureux, même pour un petit samedi de Paris où il pleut, même si on n'est pas faits pour vivre ensemble, même si on est juste là pour le plaisir et pour la liberté, et pour s'apprendre l'un l'autre à beaucoup, beaucoup mieux faire et mieux vivre.

Bon, en tout cas nous y sommes. Courage, Loïc. Déshabille-toi devant elle en faisant bien attention à ne rien cacher.

Samedi, 11 heures 15

– Maintenant je te raconte une des choses que j'imagine dans ma tête, comme un film, en pensant à toi... Tu es l'actrice et je suis l'acteur, et voilà ce qui se passe... Enfin, ça ne peut plus être exactement le même film depuis hier soir. Il y a changement de décor – avant ça se passait chez moi, mais maintenant je te revois trop ici en fermant les yeux... Et puis tu n'es plus habillée comme au bureau mais comme hier soir, avec ta jupe plissée et ton chemisier. (Je revois tout au quart de seconde.) Et tu as les cheveux dénoués...

L'atmosphère avait changé. Moi aussi, j'avais les yeux fermés. Et moi, en tout cas, je ne pouvais plus rien dire, même pas « oui ». On tâchait de rester le plus possible immobiles, à l'exception de ma main. C'était difficile en ce qui concernait les poumons. Le monde extérieur avait disparu comme s'il n'avait jamais été qu'un mirage. Il ne restait que deux souffleries sur le désir.

Cette fois, on y va :

– Tu es assise au bord de la banquette... Moi,

disons que je suis occupé à je ne sais quoi... Par exemple, je téléphone pour décommander une obligation parce qu'on va passer la soirée ensemble...

La respiration de Loïc se multipliait par la mienne pour nous faire peur de manquer d'oxygène.

– Pas loin de toi, sur la banquette, disons à ta droite, il y a un magazine ouvert bien à plat, justement à une page qui t'intéresse...

Il faut que je respire entre chaque phrase comme une voiture qui devrait refaire le plein tous les kilomètres.

– Aussi, tu tournes la tête pour le regarder pendant que je téléphone... Tu finis même par te pencher de côté en tournant les épaules... Appuyée sur le bras droit, tu te mets à lire le magazine sans le prendre dans tes mains... Tu croises la jambe gauche sur la jambe droite, cuisse gauche complètement « sortie », montée, déhanchée... Tu vois ce que je veux dire ?...

Ouf ! Tant pis si elle trouve ça trop compliqué. C'est moi. C'est à moi. C'est mon fantasme et je l'aime.

Ma tête a fait « oui » plusieurs fois de suite sur sa poitrine. Je voyais bien ce qu'il voulait dire mais je ne pouvais plus parler. Une pensée m'est venue, c'est que je lui avais littéralement donné la parole.

– Distraitement, tout en lisant, tu te caresses la cuisse de la main gauche... Tu donnes l'impression d'aimer être une femme... et d'apprécier cette position qui accentue fortement les lignes de tout le bas de ton corps...

Je suis peut-être un malade mental. Prononcer « cuisse » et « bas de ton corps » à l'oreille d'une femme attentive me remue comme je n'aurais jamais pu le prévoir.

– Tu vois ce que je veux dire ?...

Comme force, me restait à peine celle de bouger faiblement la tête, à part caresser doucement. J'aurais tant voulu qu'il sache que j'en étais encore plus malade que lui...

– En te caressant distraitement, ta main remonte presque jusque sous la fesse... En fait, oui, tu la caresses entièrement, tu en suis la forme, le galbe... à la fois distraitement mais aussi scrupuleusement, consciencieusement...

J'ai fait « oui » sans qu'il me le demande.

– Tout d'un coup, tu te souviens que tu n'es pas seule dans la pièce... Alors tu oses à peine ralentir ta caresse... Tu oses à peine me chercher du regard, du coin de l'œil...

Je garde le silence un instant (je ne fais pas exprès).

– Pourtant, tu te rends compte facilement que, de mon côté, je te regarde d'une drôle de façon... Je suis debout, dos à la porte, paumes en arrière contre le bois comme pour m'empêcher de me caresser moi aussi devant ce que je vois... À partir de là, tu ne vas plus pouvoir t'en sortir. Je veux dire, tu ne peux plus te dérober à ce que tu ressens... Et ce que tu ressens, c'est le plaisir fou d'allumer un homme à distance, simplement en te montrant à lui... Et tu vas t'exhiber, te faire désirer de plus en plus activement... Au début, ça va aller très lentement... tu vas à peine bouger mais ce sera déjà le meilleur... Enfin, ce sera tout le temps le meilleur mais il y aura immédiatement profusion de complicité, ou même de complaisance... Tu vas simplement accentuer sans arrêt ce que tu es - une jeune femme excitée d'être désirée - par d'infimes, comment dire... d'infimes exagérations de tes attitudes...

Il faut absolument que je me remette à parler au présent.

- Je veux dire, tu me fais comprendre par ton attitude que ça t'excite de m'exciter... Et comme c'est presque tout ce que je demande... je suis tout de suite en plein rêve, en plein délire... sauf que c'est réel...

J'y suis même en ce moment, pendant que je parle. C'est la première fois que je fais ça : détailler mon fantasme à l'oreille de la personne qui en est l'âme et le corps. Le désir ressemble au désert. On est perdu, on crée soi-même des mirages où l'on pourrait boire à la folie, et là, pour moi, les mirages vont devenir des réalités à mesure que j'en approche ! Ou encore, c'est comme si j'écrivais au Père Noël avec l'assurance absolue qu'il existe et qu'il va me répondre : « Oui, entendu ! » par retour du courrier.

Non seulement je ne parvenais plus à oublier

qu'on respire sans arrêt pour vivre, mais je sentais mon cœur, mon gros cœur de bonne fille allumée, donner des coups sourds dans tous les sens.

– Ce « presque tout », ça veut dire qu'il y a aussi autre chose qui est presque tout ce que je demande : c'est que tu me fasses comprendre que ça t'excite de m'exciter en t'en prenant directement à moi – avec tes mains, ta bouche, tout ce que tu veux... en me déshabillant, en jouant avec moi comme tu veux, en me... C'est ce que j'ai en ce moment, en plus que tu m'écoutes... Et il y a encore un autre presque-tout... c'est quand tu me ferais comprendre que ça t'excite que je m'excite sur toi... quand tu serais une poupée dont je ferais ce que je voudrais... mais une poupée qui gémirait et qui pâlirait... qui se tordrait sur elle-même pour...

Chaque phrase de Loïc exprimait la vérité la plus simple, la plus naturelle, et pourtant, même simplement pour moi qui l'entendais, c'était comme une libération inimaginable. Est-ce que tout le monde fait ça un jour ou l'autre, ou peut-on passer une vie entière à garder le silence – faire l'amour comme une activité quasi honteuse, mine de rien et ni vu ni connu même vis-à-vis de la personne avec laquelle on le fait, en s'excusant presque d'avoir eu un moment d'égarement ?

– Bon, alors tu bouges de partout et je te vois respirer, la bouche entrouverte... Je te vois bouger mais c'est comme si on pouvait voir tourner les aiguilles d'une montre. Tu hausses insensiblement l'épaule droite en creusant le dos, avec la même lenteur incroyable, pour sortir encore plus la hanche... pour avoir une fesse à peine un brin plus détachée... mais ça suffit pour qu'elle ne touche plus la banquette... pour qu'elle soit écartée de l'autre... à peine mais entièrement soulevée – libre à ta main de continuer à la caresser avec une légèreté insensée, en faisant jouer le tissu soyeux de ta jupe plissée bleu marine, qui fait maintenant de petites vagues transversales en plus de ses plis...

Je pense aussi à ses seins mais le soutien-gorge me gêne. Il n'y en a jamais dans mes fantasmes. J'aime trop que les seins bougent, et les sentir suspendus dans le vide, bien détachés du corps, quasi indépendants de la personne. Mais j'ai peur que Muriel soit complexée par sa grosse poitrine. Je ne sais pas. En mettre un dès le réveil ! Debout, hop ! soutien-gorge et hauts talons. C'est peut-être plus agréable pour préparer le petit déjeuner. Quoi qu'il en soit, je n'ai pas assez profité de ses seins nus, cette nuit, dans le noir.

– Évidemment, tu ne t'intéresses plus du tout à ton magazine... Tu sembles réfléchir, comme si tu essayais de te raisonner et de te calmer, mais c'est une impression totalement fausse... Et alors... tu plies le cou pour tourner franchement la tête vers moi sans la relever... Le bras sur lequel tu t'appuyais jusque-là, tu le laisses plié aussi et maintenant c'est sur un coude que tu t'appuies... J'adorerais voir tes seins s'infléchir de côté dans cette position, mais...

Allez, encore du courage.

– ... Muriel, j'adore tes gros seins lourds... J'en ai envie... j'en ai envie, je...

Il y a un instant de vide. Ou bien j'ai dit quelque chose de trop maladroit et tout va mal, ou bien, au contraire, et comme je suis sorti du récit pour dire l'émotion que me donnent ses seins, on va en profiter pour se jeter l'un sur l'autre et refaire l'amour au bonheur la chance. Dans les deux cas, il faudra tout recommencer, réparer le charme tant bien que mal. Vite, je reprends à l'aveuglette :

– Mais ton chemisier blouse trop par-devant dans cette position... C'est drôlement bien rempli mais c'est vague et flou... Alors pour le moment, je les imagine, je les vois nus... J'imagine que tu sens leur poids... ça tire... c'est lourd... ça fait comme un...

J'ai les oreilles qui bourdonnent à l'idée que je suis peut-être en train de tout casser. Muriel continue à me caresser doucement. J'attends je ne sais quoi. Elle remue légèrement, comme pour mieux se réinstaller contre moi, et je sens bouger un petit peu, avec un temps de retard, pesamment, volumineusement, à travers l'épais tissu éponge et malgré le fin et solide soutien-gorge, son sein gauche posé sur ma poitrine, et qu'elle a soulagé sciemment pour que j'en sente le mouvement. C'est un cadeau et une promesse. J'en ai encore plus les oreilles qui bourdonnent.

– J'ai hâte de les voir libres et lourds devant moi... Mais je reste plaqué à la porte... Je te

101

regarde... Je suis fou de cet instant où mon fantasme devient une vraie personne qui fait tout ce que j'espérais parce qu'elle en a envie autant que moi... Et le mélange d'émotion et d'excitation, de gratitude et de désir, me rend malade de... de plaisir, je ne sais pas comment dire... de gourmandise, je ne sais pas, j'ai l'impression que je ne m'étais encore jamais régalé comme ça, je...

Il parlait comme si on était en train de faire ce qu'il disait et, moi aussi, je souffrais comme une bienheureuse de ce même mélange et de cette même impression. Je ne m'étais sûrement jamais sentie aussi engourdie, aussi écrasée de... je ne sais pas – en effet, il n'y a pas de mots. Un plaisir, un bonheur sans nom. On sait simplement que c'est bon et qu'il faut en jouir le plus franchement possible. Les gens n'en parlent jamais, ça n'existe que pour soi quand on y est, et il faut s'y abandonner entièrement sous peine de regrets éternels.

– Je n'arrive plus à réfléchir à quoi que ce soit, comme quand des tas de choses vous arrivent en même temps... Je veux consacrer toute ma lucidité à te manger des yeux mais j'ai encore un souci : il faut que je garde les mains plaquées à la porte... il faut que je m'empêche de... je veux que ce soit toi qui... mais on n'en est pas là... tes mouvements commencent, non à s'accélérer mais à s'amplifier... en fait, c'est un seul mouvement qui est commencé, et qui continue, que rien ne peut arrêter... il a commencé dès que tu as croisé la jambe gauche sur la droite en te tournant vers la droite pour regarder le magazine... maintenant, ton corps continue à s'enrouler sur lui-même tout en se déployant... ton coude gauche vient lui aussi se poser sur la banquette... ton genou gauche frotte le bord de la banquette et descend se poser à terre... du coup, ta jambe droite se dérobe, ton genou droit venant se poser à terre à son tour... et tes pieds, c'est-à-dire tes jolies chaussures d'hier soir... se retournant talons en l'air...

Si simple à imaginer, si compliqué à décrire ! Pourquoi ? Parce que c'est merveilleux ? Ou parce que le désir n'aurait rien à faire du langage ?

– Maintenant, tu es presque à quatre pattes... les coudes sur la banquette... et les genoux par terre...

En fait, les mots sont presque aussi excitants que la chose, quand quelqu'un est là et les écoute.

Il garda le silence. Il me regardait dans sa tête. Enfin, je pense, parce que, moi, dans la mienne, je me laissais regarder par lui. Ça veut dire que je me voyais devant lui. C'était beau, c'était bon, c'était fou, ça me donnait des fourmis dans le dos, à la taille, dans les hanches, dans les épaules, dans le cou, et j'imaginais mes fesses qui devenaient ce qu'on voyait le plus de moi, qui se « déployaient », qui se détachaient, qui s'épanouissaient, qui s'exhibaient, qui s'ouvraient, bien séparées, bien rebondies, bien proéminentes, et même, je les entrevoyais déjà nues, jupe relevée jusque sur le dos, et j'y distinguais même tout le grain de la peau, parce qu'elles avaient la chair de poule et qu'elles rosissaient du plaisir angoissant d'être vues, regardées longuement, dans les meilleures conditions possibles, sans le moindre empêchement et, surtout, surtout, sans aucune, mais alors aucune réserve de ma part – au contraire, j'aurais fait tout et tout pour que Loïc se régale comme jamais, et moi avec lui, et moi la première, moi la femme qui commençait déjà à se demander comment se faire encore plus indécente, encore plus provocante, alors que j'osais à peine regarder en imagination tout ce qui était sombre et rose et mauve là où l'air frais de la nudité me caressait entre mes fesses bien ouvertes et au creux de mes cuisses jointes, par-derrière, je veux dire au-dessus du point où elles se touchaient... Je suis parvenue à « voir » un instant, et aussitôt je n'avais plus qu'une envie : qu'on y mette les mains, les doigts, la bouche, tout, être touchée partout par quelqu'un, à la fois tout au bord et jusqu'au fond de moi, au plus doux, au plus chaud, au plus tendre, au plus fin, au plus dru, au plus gros, au plus soyeux, partout, au plus secret, au plus étroit, au plus chaste, au plus vierge, au plus fragile, au plus sensible, au plus vulnérable, au plus compromettant... La phrase de Loïc se rejouait indéfiniment au fond de mes oreilles où elle s'était imprimée, et je me l'appropriais, c'était moi qui la pensais et qui la disais en creusant le dos et en tendant le plus possible les fesses en arrière sous son regard fou de joie, tout ça en imagination mais sans cesser de caresser bien tangiblement son grand sexe d'homme tout gonflé, tout lisse et tout chaud, tout docile : « Moi, la belle Muriel, jamais je ne m'étais régalée comme ça, jamais, jamais, je ne m'étais régalée comme ça, régalée, régalée... » - le participe passé féminin « régalée » me donnait envie de retourner à l'école et d'y passer le reste de ma vie à le réciter par cœur.

Elle a des petits cris étouffés qui se voudraient clairs et distincts. Mon Dieu, qu'est-ce que j'ai dit qui lui fait cet effet-là, je ne m'en souviens déjà plus tellement tout ça est trop beau. Ah ! oui, elle était à quatre pattes au bord de la banquette...

Loïc se rendait-il compte que je le distançais dans ses propres fantasmes ? Pour lui, j'avais encore ma jolie jupe sur le rable. D'accord, j'allais trop vite. C'était beau également avec ma jupe toute bleue, toute soyeuse, et rien en dessous comme hier soir... Ah ! oui, j'oubliais, un porte-jarretelles et des bas, comment ça fait, qu'est-ce que ça donne comme ça, de dos, les fesses tendues ?...

Pour reprendre, il a été obligé de revenir en arrière - je veux dire, par rapport où il en était lui-même :

- Mais ce qui m'a fasciné pendant ce temps... c'est le mouvement qui disjoignait, déroulait, épanouissait, haussait... déployait l'ensemble composé de tes cuisses, de tes fesses, de tes hanches et de tes épaules... Bon, tu gardes le dos

tordu afin de pouvoir regarder en arrière, la tête
ployée sur le côté... Tu ramènes un genou près de
l'autre pour avoir les chevilles bien parallèles et...
si tu veux bien que j'emploie le mot... parce que je
l'aime... le cul bien levé... bien tendu, bien
ouvert...

Je l'avais ramené depuis longtemps, mon
genou, dans ma tête. Ça n'empêche qu'on se ren-
contrait réellement, même sur le mot. Maintenant, je me sentais toute molle. Il se mit à haleter
encore plus mais continua à parler, avec de petits
gémissements graves par-ci, par-là.

– Tu es très jolie, tu es très jolie... Pas seulement ton visage... tout toi... Dans la position où tu
es, toutes les lignes de ton corps composent un
dessin enfin aussi beau que mon désir...

Ça m'est venu tout seul et je l'ai dit : « les lignes
de ton corps composent un dessin enfin aussi
beau que mon désir », mais il m'a fallu autant de
courage que pour prononcer « cul en l'air », et ça
me met dans le même état de nudité et de vulné-
rabilité.

– ... Mieux ton cul s'épanouit et s'exhibe, plus
tu me parais mince et déliée... sinueuse et à la fois
si jolie et sensuelle... Peut-être que toutes les
femmes sont très minces ou, du moins, très
belles... quand elles s'exhibent à fond pour leur
propre trouble... devant un homme qu'elles
troublent...

Ça c'est maladroit ! Comme si je lui disais
qu'elle est grosse. Qu'est-ce que j'y peux dans
l'état où je suis ?

– Et surtout, ce qui me bouleverse, oui, ça me bouleverse, c'est ta complaisance envers mon désir... C'est encore plus que générosité et complicité...

Ma main ne coulissait plus. Pas la force. Je lui maintenais le sexe entièrement retroussé. De mes trois doigts libres, je lui en massais doucement le sommet, d'autant plus aisément qu'il était enduit abondamment de ce liquide glissant et transparent que secrètent les hommes, comme nous, sous le coup du désir et non pas de la jouissance.

À la fois je la vois distinctement et je sais que c'est de l'imagination. À la fois c'est bon et ça fait mal. Une fille comme ça, le derrière en l'air pour vous, c'est irrésistible littéralement. Et mieux vous vous le représentez, plus vous en voulez tout de suite dans la réalité, plus c'est difficile d'attendre, de vous raisonner, même avec la quasi-certitude que ça se réalisera. Mais si vous flanchez, si vous le demandez pour de bon tout de suite, vous ne pourrez plus dire tout ce que vous vouliez, pour cette fois.

– Muriel, j'ai hâte que ça devienne vrai... Tu te mettras comme ça ?... Tu voudras ?...

Dire directement ses désirs à quelqu'un, ça fait presque mal physiquement – dans la gorge, dans la poitrine, dans les jambes.

De nouveau, j'ai été la première surprise d'entendre ma voix, d'autant plus qu'elle était, cette fois, nette, ferme, assurée :

– Oui, Loïc !

- Dis-moi comment tu te mettras... s'il te plaît... j'en ai besoin pour continuer à parler.

De nouveau également mais là pas comme aujourd'hui, comme la veille, je l'ai trouvé émouvant comme un bébé - formidablement vivant comme s'il lui était impossible de se distancier mentalement de son corps et de son désir. Je le sentais respirer sous ma joue comme si c'était quelque chose de nouveau pour lui, comme s'il avait une bouche et des poumons neufs de quelques minutes.

- Je me mettrai à quatre pattes appuyée au bord de la banquette, le cul... (Aïe, c'est vrai que c'était bon !) ... le cul... en l'air... bien tourné vers toi... pour que tu te régales... pour que je me régale...

Ça faisait mal partout mais il n'existait rien de meilleur. J'avais envie de me promettre de toujours parler en faisant l'amour, toujours entendre ma voix dire les choses qu'on ne dit jamais.

Ce qui se passe en moi en ce moment, je crois que c'est de l'émotion pure. Le plaisir pur sera quand on fera ce qu'on a dit. Comme je demandais tout à la fois aux femmes, jusque-là, je ne voyais pas la différence.

Je ne sais pas trop ce qui se passe en Muriel, ou plutôt je n'ose pas y croire : elle aimerait tout ça autant que moi !... En fait, l'émotion vient de là. On n'est plus seul à se débrouiller avec ce qu'on aime le plus au monde. Et ça n'a rien à voir avec ce qu'on appelle « amour » dans les livres et les films.

– Ensuite, bon, ça empire, tu remues lentement mais plus profondément... Tu sais que je ne peux pas détacher le regard... Tu n'es plus appuyée sur les avant-bras... tu as tout lâché... tu es sur les épaules, une joue sur le velours de la banquette... tu as les bras en arrière... les mains libres... tu te les mets à la taille... tu te tiens toi-même à deux mains par la taille... et ça donne l'impression que tu te déhanches encore plus fort... que tu creuses le dos encore plus profond... Et puis tes mains vont plus loin sur les hanches... tes doigts commencent à jouer avec le tissu... Ce que j'aime, c'est que tu veux absolument voir mon visage pendant ce temps, quitte à déplacer légèrement les genoux pour que ta hanche ne morde pas sur la ligne qui va de tes yeux à moi... Tes mains jouent avec le tissu bleu et finissent par le déplacer, le remonter, le redescendre, le remonter, l'écarter... À un moment, alors même que... après avoir brièvement arrondi le dos, tu le recreusais au maximum... tu soulèves brièvement ta jupe et... j'entrevois un grand pan de ce paysage clair et obscur que j'aime tant... encore plus beau avec la lisière des bas et les lanières du porte-jarretelles qui tranchent... qui sont comme le cadre qui rend une œuvre d'art encore plus saisissante... Tu laisses vite retomber le tissu parce que ce n'est pas encore le moment d'être nue... tu veux faire durer, monter mon plaisir, me rendre marteau... En revanche, maintenant, tes mains vont partout sur tes fesses... et le tissu bleu et soyeux s'insinue dans mon fantasme... et je ne pourrai plus m'en passer chaque fois que je penserai à toi comme ça... À un autre moment, j'ai l'impression que tes mains, de part et d'autre, font exactement le geste d'offrir un cadeau... un beau et bon gros cadeau bombé, renflé, charnu, merveilleusement creux en plein milieu... dont ta jupe est l'emballage de fête...

– Oui, oui c'est pour toi !...

Non, c'était pour moi. Je n'oublierais plus jamais ce que signifie le plaisir d'offrir.

– Et puis tu te mets à bouger, toujours lentement... mais encore plus franchement, avec de plus en plus d'amplitude... Enfin, ça va lentement mais tu ne tiens plus en place... Tu écartes une cuisse... tu poses le genou au bord de la banquette... et tu montes carrément sur la banquette en prenant ton temps... et tu te retournes... et tu t'assieds... et tu croises les jambes... et tu les décroises... et tu replies une cuisse... et puis l'autre... et tu les écartes en jouant toujours avec le tissu bleu de façon que la grande fête commence doucement et dure très longtemps... Des plages fugitives de cuisses nues me mettent à deux doigts de me jeter vers toi la bouche déjà ouverte, les lèvres déjà gonflées et presque tremblantes... Et d'ailleurs... tu te rends compte que je ne vais plus tenir longtemps... Assise en tailleur, plus ou moins enveloppée jusqu'aux chevilles dans ta jupe plissée comme une jeune fille de bonne famille... tu te caresses les seins à pleines

110

mains en me regardant droit dans les yeux...
C'est un regard qui ne cherche pas à être provocant ou quoi que ce soit... Il cherche à voir ce que je ressens... Tu as pris goût à mon désir, à mon délire... comme à une drogue, et tu en veux encore et encore... et c'est peut-être le plus beau jour de ma vie à moi...

Je ne faisais aucun effort d'imagination. Les phrases engourdies et hachées de Loïc se traduisaient instantanément en images flambantes. Même les yeux fermés, j'y voyais presque trop.

– Muriel, tout ça peut durer aussi longtemps que ça te plaît, je ne m'en fatiguerai pas. Tu peux faire tout ce que tu veux devant moi sur ta banquette, ou par terre, ou debout devant moi, je ne te dirai jamais d'arrêter du moment que tu aimes ce qu'on ressent tous les deux et que tu es troublée, excitée, déboussolée. Moi, rien ne pourrait me chavirer davantage que de savoir que tu as le cœur à l'envers en ouvrant grand les cuisses devant moi.

Elle me caresse toujours mais ce n'est plus pareil. Je pense qu'elle a les yeux fermés, maintenant. Elle tient mon sexe le plus vertical possible et elle le retrousse à grands mouvements lents et forts. Heureusement que ses doigts ne jouent plus sur le sommet, ce serait fini tout de suite – ça giclerait et pleuvrait n'importe où avant même que j'essaie de m'en empêcher.

J'ouvrais grand les cuisses devant lui en imagination et je me régalais comme encore jamais.

En fait, je continuais à le caresser bien régulièrement mais, en pensée, c'est entre mes propres cuisses grandes ouvertes que j'envoyais la main, bien au milieu où tombait le tissu bleu à travers lequel je commençais à me caresser largement, librement, sans le quitter des yeux, lui qui me regardait. D'ailleurs, j'avais envie de le lui dire : « Regarde, regarde, j'attends, j'ai envie de toi, regarde, c'est là que j'en ai le plus envie ! » Et je me caressais, je me caressais en tournant, bout de la main bien à plat en haut de la vulve. Il me regardait faire et je le voyais me regarder, et je n'en pouvais plus – de l'autre main j'ai arraché le tissu bleu et j'ai ouvert les cuisses encore plus en levant le ventre, ma main malmenant et fouillant toute ma vulve chaude, gonflée, trempée...

– Mais il arrive un moment où tu te rends compte que je ne peux plus rester comme ça, les mains contre la porte. Ce que j'aimerais surtout, ce serait que toi, tu aies envie de voir un homme, non seulement te regarder et te désirer, mais se masturber carrément devant toi comme devant un fantasme vivant.

Je déteste le verbe « masturber », pronominal ou pas. Il me paraît tellement artificiel et malin-tentionné que j'ai fini par le chercher dans le dictionnaire, un jour de cafard. Du latin *manus,* la main et *stuprare,* salir. Lugubre et irrespirable comme un vieux commissariat de police. Mais il y a d'autres jours, dans la vie, où il faut aller droit, sans rien éviter.

Ces paroles ont déclenché en moi un fantasme involontaire et inattendu. Les yeux fermés, je me voyais toujours les cuisses ouvertes. Dans la réalité, j'avais toujours le sexe de Loïc à la main. Aussi ai-je eu soudain l'impression hallucinante d'être un garçon qui se masturbe en regardant une fille indécente. C'était fantastique. Le sexe de Loïc m'en paraissait encore plus dur et plus grand, et j'ai connu alors un sentiment de – oui, alors là précisément c'est le mot – de puissance, une impression d'énergie inépuisable, une joie de vivre étincelante, et de vivre en avant, à fond, sans économie ni calcul, avec force et adresse. Ensuite seulement je me suis rendu compte que les cuisses ouvertes de la fille indécente incarnaient littéralement tout le bonheur du monde, et ça m'a fait chaud.

– C'est pourquoi j'ai attendu jusque-là que tu viennes me déboutonner toi-même... dégager mon sexe et me le mettre toi-même dans la main... Donc tu te lèves, toujours tout habillée, et tu viens vers moi... Tu t'arrêtes devant moi...

Je ne le suivais qu'à demi. Je voulais continuer à me branler comme un gorille. D'un autre côté, je voulais bien être debout, la poitrine en avant, devant lui et son regard égaré.

– Et là, tu fais quelque chose qui n'a peut-être l'air de rien mais... que j'ai toujours attendu quand une fille est debout devant moi... En même temps que tu lèves un bras et que tu me le passes autour du cou... tu baisses l'autre et tu m'attrapes en plein la braguette comme tu as fait dans la voiture... et tu m'embrasses à tout casser, comme tu as fait aussi dans la voiture... mais là tout en me tripotant sans le moindre égard...

On devenait salement cochons, tous les deux, et ça me donnait de plus en plus chaud. Cela m'apparaissait comme quelque chose de très bien et très bon, à la fois bénéfique et méritoire. On avait de la chance et du courage.

– Bon, alors ensuite, tu te laisses glisser à genoux à mes pieds. Je me laisse faire, j'ai toujours les paumes contre la porte. Ton visage me caresse à travers mon pantalon, tu plies le cou en tous sens pour que ton visage me caresse largement, calmement, de droite à gauche et de haut en bas... Tu me tiens par les hanches et je vois la masse de tes cheveux qui oscille comme de l'eau en remous dans tes grands mouvements... Je n'oublierai jamais... Je tiens à peine debout... Au bout d'un moment, tu écartes le visage... tes mains se rejoignent sur ma braguette et tu commences à me déboutonner tranquillement... en regardant bien ce que tu fais... Tu ne déboucles pas ma ceinture. Tu sais très bien ce que tu as à faire. Ce n'est pas le moment de me déshabiller. Tu as seulement envie de dégager mon sexe pour que je puisse me caresser en te regardant... Évidemment, sous mon pantalon, il était déjà sorti de mon slip. Tu n'as qu'à ouvrir et il est dehors. Si tu savais... comme on est ému à ce moment-là... comme on se sent à votre merci et comme on a besoin de votre bonté et de votre intelligence et, surtout, de votre désir, sans quoi on est grotesque et au supplice de ne plus savoir que faire de...

Ah oui, être un garçon et ne plus savoir que faire de cette grande chose ! Au fait, pouvait-il avoir, comparablement à moi, l'hallucination succulente d'être une femme et non plus un homme, et de se sentir superbement capable et impatiente de l'avaler dans son ventre, cette grande chose, les cuisses bien ouvertes et remontées jusqu'aux épaules ? (Même sans jamais pouvoir imaginer ce que c'est bon.) Si oui, est-ce qu'il oserait le dire ? Et moi, est-ce que j'osais lui dire que je me pavanais dans ma tête avec une grande barre bien glissante à la main, bien congestionnée, bien grossière, et que je ne savais plus où me tourner ?

– Tu me sors bien tout en rentrant les doigts dans mon pantalon.

Il eut un gros soupir de fille.

– Et là, un moment, j'ai besoin de tes caresses, et de tes lèvres...

Je le comprenais. Le sexe à l'air, un homme peut paraître glorieux, voire arrogant et agressif. Dans le même état d'érection indécente, il peut aussi se sentir idiot et fragile. Je m'appliquerais, j'y arriverais, il serait content.

Depuis combien de minutes maintenant plus rien ne me choquait ? J'étais prête à tout. Je ne m'étais jamais sentie si libre avec un homme.

C'était grâce à Loïc, à sa gentillesse et à sa sensibilité, d'accord, mais j'espérais bien que ça me resterait, que je ne pourrais plus renoncer à cette liberté, quitte à l'imposer moi-même à tout homme de mon goût. Car il y avait cela aussi, maintenant : ce serait toujours moi qui choisirais, je ne me laisserais plus flatter par les beaux renards.

Il ne disait plus rien. Il se concentrait sur la pensée de mes doigts et de mes lèvres. Mes doigts, c'était facile mais je n'ai pas voulu en jouer à la façon qu'il faudrait quand je serais à genoux devant lui, dont j'aurais mis le sexe à l'air. J'ai continué à le – à « me » masturber comme un garçon, doucement mais franchement, les doigts bien joints et bien ronds. Ma bouche, pas question pour l'instant, ça pourrait l'empêcher d'aller jusqu'au bout de son fantasme. Et la fin, c'est lui qui devrait l'annoncer clairement comme au dernier plan d'un film.

Cela dit, tenir dans ses bras – aux épaules et au sexe – un homme perdu dans le mirage de vos doigts et de vos lèvres, c'est à vous remettre en vitesse dans votre peau de fille. J'étais bien décidée à lui donner tout ce qu'il voulait, du moment qu'il me mettait au courant de ses désirs qui devenaient aussitôt les miens.

Elle attend la suite. Si elle savait le cadeau qu'elle me fait ! D'ailleurs, ce que je lui ai dit et ce que j'ai encore à lui dire pour lui raconter mon fantasme m'excitent moins que son attention, que sa façon de m'écouter en respirant fort.

– Muriel, tu sais, j'aime l'érotisme, j'aime le sexe, j'aime tout ça et, dans cette histoire, aujourd'hui, il faut que je te dise, ce qui m'excite le plus, ce que j'aime le plus, c'est la façon dont tu m'écoutes. Je sais que je dois fermer les yeux pour te parler, mais je pense tout le temps, dans un coin de ma tête, à ce que je pourrais lire sur ton visage si je le voyais.

Il avait le coup de vous cueillir dans les virages. Bravo Muriel de ramener un homme comme ça chez toi, quand tu n'en avais ramené aucun depuis longtemps.

– Bon, au bout d'un moment, tu me prends la main et tu me l'enroules sur mon propre sexe. Et même... tu amorces le mouvement...

Mes mains, dans la réalité, ne sont pas paumes contre une porte, mais agrippées au drap de dessous. Et le mouvement en question, Muriel s'en charge elle-même depuis le petit déjeuner.

– Une fille ne m'a encore jamais fait ça, pour ne rien te cacher.

Ne rien cacher devient en soi une jouissance dont on ne peut plus se passer.

– Ensuite, tu me lâches complètement. Tu te relèves sans te presser. Tu me quittes. C'est-à-dire que, déjà, tu recules d'un pas. Tu te retournes, mais en gardant la tête en arrière pour continuer à me regarder, à m'encourager. Tu rejoins vite la banquette parce que tu te souviens du désir qui t'a prise quand tu y étais : que je me caresse en te regardant. Mais cette fois, ce n'est pas pareil. Tu te déshabilles. Tu veux être le plus nue possible. Ça va vite mais ça ne fait pas du tout penser à une fille qui se déshabille simplement pour aller se coucher ou prendre un bain. Tu te déshabilles vite mais pour moi, tout le temps pour moi. Enfin, vite, ça me paraît vite parce que c'est trop vite fini. En réalité, tu prends ton temps, toujours en me regardant. Tu n'as plus peur de rien. Tu fais les mêmes choses que tout à l'heure, mais cette fois sans prendre garde à ta jupe, qui finit par te gêner plus qu'autre chose, alors tu prends le parti de l'ôter. Agenouillée sur la banquette en me tournant le dos, bien plantée sur tes genoux écartés, tu commences par la dégrafer à la taille. Je ne peux plus rester debout là-bas. Je m'approche, sexe à la main sans la moindre fausse honte.

Ni arrogance, ai-je pensé, ni vulgarité. Merci pour ce que tu es. Merci pour ne m'être jamais sentie si bien avec quelqu'un – avec «une personne», comme disent les filles.

– Je me laisse tomber à genoux par terre... Voilà... Mon fastasme ne s'arrête pas là mais, ensuite, ça va tout seul, plus besoin de raconter. Sache quand même que je vais longuement me servir de ma bouche. J'y pense moi aussi depuis l'instant où tu es descendue de la voiture, quand j'ai aperçu tes cuisses... J'ai envie de te manger partout comme du gâteau, sur le ventre, sur le dos, de derrière les genoux jusque sous les oreilles et du nombril jusqu'aux doigts de pied, et de la racine des cheveux jusqu'à la paume des mains... Ah ! si, Muriel, tes seins, il y a quelque chose avec tes seins dans mon fantasme. Mais ça aussi, c'est changé depuis hier. J'aimais déjà tous les styles de poitrine mais, maintenant, ce seront peut-être les seins gros et lourds qui vont me troubler le plus, qui me paraîtront les plus lascifs, les plus brûlants...

Je n'ose pas lui dire exactement ce que j'en pense, je ne sais pas pourquoi, enfin si, j'ai honte de faire des discours quand ce n'est pas le moment. De gros seins lourds, ça ne peut pas s'empêcher de signifier que cette femme qui est là connaît la vie sur le bout des ongles et veut en jouir à pleines mains, sans aucune retenue, bien au-delà de toute convention plus ou moins esthétique. Si elle n'a pas peur de les mettre en avant pour affoler un homme, c'est que l'érotisme n'a rien à voir avec une quelconque perfection physique. Alors tout devient possible avec elle, tous les aveux et toutes les complaisances – je croyais détester aussi ce mot de complaisance et il me paraît à présent le plus érotique de tous. Je commence à peine à comprendre à quoi sert la confiance dans ce domaine.

– Je vais les adorer, tu vas voir, je voudrais moi-même t'ouvrir ton chemisier comme tu as ouvert ma braguette et...

Je n'ai pas bien compris ce qui s'est passé en moi, et c'est peut-être ça, l'érotisme : être une surprise pour soi-même. Toujours est-il que, sur ces mots concernant ma poitrine s'échappant de mon chemisier, j'ai eu très envie, profondément envie de faire jouir Loïc le plus vite possible – peut-être pour que la jouissance imprime en lui cette promesse de métamorphoser en objets de délice et de vénération – en porte-bonheur pour toujours – ces gros seins qui m'avaient semblé jusque-là un handicap dans ma vie de femme.

Je n'ai eu qu'à tourner la tête pour que ma bouche rencontre le mamelon gauche de ce garçon magique. Mes lèvres, ma langue et mes dents se sont aussitôt déchaînées. Je sentais couler ma salive comme de l'eau chaude sur la petite pointe aussitôt enflée et durcie. En même temps, ma main s'est ouverte et ce sont mes doigts qui sont aller malaxer le sommet du sexe glissant comme le revers d'une peau de pêche. Mon autre main lui serrait l'épaule comme pour lui dire qu'il pouvait y aller – j'étais là, je le protégerais pendant sa jouissance.

J'ai vite senti tout son corps se raidir. Il a commencé à gronder, de plus en plus fort. J'ai continué. Je voulais continuer jusqu'au dernier moment. Je donnais des coups de langue à lui transpercer la poitrine. Je malaxais et pétrissais le sommet de son sexe comme si j'essayais de l'incorporer à la chair de mes propres doigts.

Quand le grondement s'est transformé en appel inarticulé – mais moi j'entendais bien : « Au secours, c'est trop bon, je vais mourir... » – puis en cri étouffé, grave et pourtant strident, qui n'avait plus aucune autre signification qu'un mélange de plaisir et d'émotion à leur maximum, je me suis précipitée. Je veux dire que j'ai lâché son mamelon pour pouvoir bien tourner la tête et regarder. En même temps, ma main s'ouvrait et se refermait solidement sur le corps de la verge. Et j'ai vu.

C'est allé trop vite pour mon goût. Les giclées blanches sont montées et retombées en pluie infiniment douce, tout cela simultanément, à n'y rien comprendre : ça m'a paru d'une abondance folle et tout de suite fini. Tout est retombé sur lui, sur son ventre et ses cuisses, sauf une énorme goutte chaude écrasée en flaque en haut de ma joue. Je n'avais rien fait pour l'éviter, et je n'ai pas cherché à l'essuyer. Ça glissait doucement vers le coin de mes lèvres.

J'ai pris Loïc dans mes bras. Il frissonnait tout en s'apaisant. Je voulais le dévorer de baisers mais c'est lui qui m'a fait rouler un peu de côté pour m'embrasser tendrement sur tout le visage, en frissonnant, exactement comme je l'aurais fait. Alors c'est moi qui ai fermé les yeux et qui me suis laissé apaiser. Il n'y avait plus aucune différence entre nous.

Samedi, midi et demi

Je voulais lui jouer tout son fantasme, et comment ! Je pensais presque amoureusement à Loïc, avec attendrissement sur moi-même, en me disant : « Il peut tout me demander, ce garçon ! » Justement, il l'avait fait.

Ça ne s'est pas exactement passé comme ça. Vers midi, je l'ai encore enfermé dans la salle de bains après avoir ouvert l'eau chaude en grand.

Glissez-vous dans un bain brûlant chez une jeune femme brûlante et ne dites plus jamais que la vie est dure et que vous n'avez pas de chance.

Je suis descendue acheter deux ou trois choses. Il m'avait offert d'aller au restaurant mais je n'en avais pas le cœur. Je flanchais et flageolais sans arrêt. Je me sentais un drôle de sourire chez la boulangère, et le calcul de la monnaie me semblait soudain quelque chose de très compliqué. J'évitais la place du marché où il y a du monde le samedi matin. J'avais l'impression d'être transparente de bas en haut. Je regrettais de ne pas avoir mis mon imperméable. Il suffisait de me voir pour savoir ce que j'avais fait hier soir, cette nuit, ce matin, et ce que je ferais de nouveau en remontant chez moi.

Je me dépêchais, je regardais par terre, j'avais peur de rencontrer une personne ou une autre que je connaissais, avec qui j'aurais été obligée d'échanger quelques mots sous les parapluies. Et je me disais que je vivais mal, que j'avais été frustrée, vertueuse – peut-être parce que je croyais me dévouer à mes enfants en craignant de les choquer. Me laisser aller au désir, accepter d'être indécente moralement et physiquement, et en jouir sans réserve, je n'en avais pas l'habitude. C'était un trop grand événement inattendu, un choc émotif trop fort. Du coup, je bégayais, je n'osais plus regarder quelqu'un en face et je rougissais plus que jamais pour moins que rien, par exemple parce qu'un individu pâlichon me regardait vaguement traverser la rue. Après un vendredi soir comme ça, une femme chaude et ouverte aurait débordé d'assurance et de gaieté en descendant faire ses courses le samedi matin. Mais bon, promis, je me rattraperais.

Une phrase me volait dans la tête : « Quand le sexe va, tout va ! Quand le sexe va, tout va ! Quand le sexe va, tout va ! » J'étais pleine d'un espoir irrécusable, fondé sur ce que je venais de vivre dans la réalité, et en même temps malade de confusion vis-à-vis de moi-même et de la terre entière en ce qui concernait le passé : j'avais tout faux, auraient dit mes enfants, qui avaient surtout besoin d'une mère délurée pour grandir en bonne entente.

Mais j'ai vite cessé de penser à eux, ce matin-là – je devais être sur la bonne voie.

En remontant chez moi, mon filet d'une main, mon pépin de l'autre, je me suis surprise à changer de phrase. « Quand le sexe va, tout va ! » s'était transformé à mon insu, pratiquement, comme si cela provenait d'une part de moi merveilleuse qui disait ce qu'elle voulait sans peur et sans reproche, en : « Sa queue, sa jolie queue, sa grande belle queue délicieuse ! » C'était fou. Comme d'avoir trop bu. Du bien-être et de l'angoisse partout. Je n'étais plus dans mon état normal et je ne voulais plus y revenir.

Je me serais crue bien incapable d'employer ce genre de mot pour ma propre délectation. Enfin, j'en avais choisi un, peut-être pas convenable mais simple, naturel, familier. Pas un instant, cela n'évoquerait l'appendice arrière d'un animal. Queue, c'était le sexe d'un homme, bien droit devant lui, bien lisse, bien propre, bien chaud, bien épais, dont je faisais ce que je voulais, dont je me remplissais le cœur et l'esprit à ras bord. « Sexe » (l'organe masculin) n'était pas déplaisant comme d'autres mots convenables désignant la même chose, mais encore trop sage, trop théorique. « Sa queue, sa jolie queue, sa grande belle queue délicieuse ! » Des picotements bizarres me couraient loin sous la peau et j'ai eu peur de me trouver mal. J'ai été obligée de poser mon filet et de m'asseoir sur une marche entre deux paliers. Il me restait tout juste assez de force pour me relever précipitamment si quelqu'un survenait.

La grande belle jolie queue délicieuse d'un garçon gentil, sensible, attentif. Cela me semblait un conte de fées, mais pas pour petite fille. Pour grande. Pour dessalée. Pour équilibrée. Pour moi !

Et puis, comme ça bouillonnait fort et que tout allait très vite, le sexe de Loïc m'est sorti de la tête. L'enchantement de m'exhiber devant lui sans aucune réserve m'a de nouveau submergée, comme ce matin quand je lui faisais raconter son fantasme. En fait, une chose n'allait pas sans l'autre. Il y avait queue à lui, cul à moi - pour tout ramener au moins de mots-gâteaux défendus possible.

Samedi, 13 heures 15

Entre autres, je voulais lui faire une grosse omelette sur bon coup de rouge – encore la mère nourricière – mais j'ai vite compris qu'on déjeunerait plus tard, quand on serait presque morts de faim.

En entrant dans la cuisine avec mon chargement, j'ai aperçu Loïc dans la glace du lavabo, par la porte entrouverte de la salle de bains. Il n'avait pas eu le courage de se rhabiller, il avait passé mon peignoir. Il s'évertuait à se raser avec un vieux rasoir jetable qu'il avait dû trouver dans la petite corbeille. Nous avons échangé un rapide regard d'une intensité, d'une véhémence totalement inattendues malgré ce qu'il y avait déjà entre nous. Nos regards ne se croisaient pas, ils se touchaient, ça faisait court-circuit, d'où électrocution. Ce n'est pas une image. Il m'arrive de prendre le courant en réparant une prise électrique ou un interrupteur. Ce qu'on ressent surtout, plus fort qu'une douleur, c'est une surprise fulgurante qui vous secoue de l'intérieur comme si on ne s'appartenait plus.

Elle me lance un regard presque pathétique et je crois que le mien est pareil au même instant. Elle semble incapable de la moindre petite plaisanterie au sujet de son peignoir. Elle est carrément étranglée. Je ne peux rien dire moi non plus.

C'était peut-être pour lui aussi une immense libération, un grand tournant de la vie. Après m'avoir parlé comme il l'avait fait ce matin, peut-être attendait-il la suite des événements avec une fébrilité comparable à ce que j'avais ressenti dans mon escalier. Il avait peut-être comme moi la gorge sèche et le ventre noué. Autant que moi le cœur battant et les jambes flageolantes à l'instant où je déposais mon filet sur la table de la cuisine.

Elle est en jean et en gros pull, mais en boots à hauts talons, et ça lui donne une allure de Marilyn en répétition dans un coin de studio. Je l'aperçois de trois quarts dans la cuisine. Le temps de pluie lui fait mousser les cheveux. Elle se retrousse les manches. Il est possible que les talons allègent les gros seins – d'accord, c'est plus aérien – mais ils les rendent encore plus volumineux et provocants, encore plus « en avant », même dans un gros pull assez lâche.

Bon, je savais maintenant que je n'aurais plus le temps de me changer. Encore heureux que j'aie pris une bonne douche et attrapé une culotte sexy dans le tiroir du dimanche avant d'aller faire les courses.

J'espère qu'elle m'a bien entendu et compris. Je ne sais même plus comment je me suis expliqué. C'est le genre de chose qui ne tient pas dans la mémoire, même quand ça ne remonte qu'à une heure ou deux. C'est comme le visage d'une fille qu'on aime, au début. Ou comme une femme nue quand on n'en voit presque jamais. Ça s'efface dès qu'on regarde ailleurs. Mon fantasme me paraît mince et pâle comme un fantôme. Il se ramène à une situation de masturbation. Le seul fait qu'il s'agirait d'une personne réelle devant moi et non d'une image dans mon esprit suffit-il à nous intimider tous les deux à ce point ?

Je ne savais plus ce que je faisais. J'avais peur de casser les œufs. Est-ce que je devais mettre le jambon sur une assiette ou le laisser dans son papier et le fourrer au Frigidaire ?

J'ai peur qu'elle se mette à faire la cuisine. Est-ce qu'elle compte se changer, remettre ses bas et sa jupe ? Je ne sais plus ce que je fais, je n'arrive pas à terminer de me raser, il est vrai à la savonnette.

Est-ce que je devais tout laisser en plan, traverser le couloir et me jeter sur lui ? Ce n'était pas comme ça dans son fantasme, et je me sentais perdue.

Je voudrais tellement que ce soit aussi excitant pour elle que pour moi ! En fait, c'est justement cela qui m'excite comme jamais : que ce soit aussi excitant pour elle ! Que mon désir brut, avoué net, lui mette les jambes en compote !

Son regard m'a paru pathétique parce que ça l'est pour moi. Je n'avais jamais osé parler franchement à une femme. Alors il faut que Muriel m'exauce, question de vie ou de mort, en un certain sens – la vie ou la mort de ma foi en la possibilité de complicité érotique profonde, sincère et sans façon entre un homme et une femme. C'est pathétique si on y réfléchit honnêtement, au nom de l'adolescent qu'on a été.

Tout d'un coup, je la vois passer à côté de moi dans le couloir, se dirigeant vers le living. Elle va vite et je n'ai même pas le temps de la regarder. Mais je l'ai vue, je veux dire son visage, exactement comme si j'étais dans une salle noire, elle sur un écran lumineux grand comme le mur. Non seulement je l'ai vue mais son expression est restée imprimée en moi par la lumière pourtant faible du couloir. Ce doit être immédiatement contagieux : j'ai moi-même aussitôt le feu aux joues. Ce n'est pas à cause du vieux rasoir et de la mauvaise mousse, bien que ça pique. Je me vois dans la glace et je m'aperçois que ça passe aussi par le regard : j'ai l'air de demander la charité, d'implorer qu'on me déshabille ou qu'on se déshabille devant moi avant que je ne me mette à pleurer, d'exiger qu'on me tende les bras avant que je ne tombe dans un précipice.

J'ouvre le robinet d'eau froide à fond et je m'éclabousse à deux mains. Je ne sais même plus si j'ai fini de me raser ou pas. Je veux bien avoir l'air d'un otage. Je me penche sur le lavabo pour me mettre pratiquement la tête sous le robinet et, quand je me redresse, je m'aperçois que mon sexe a écarté les pans du peignoir et reste là en l'air comme un grand bout de bois encombrant qu'on n'aurait pas vu. Je suis sans volonté, je ne peux plus le rentrer, ça ne me regarde pas, je le laisse comme ça. Je m'essuie les mains au peignoir, qui s'écarte encore plus quand je le laisse retomber. Et je sors dans le couloir, la figure encore toute mouillée.

Je marche pieds nus. Elle ne m'entend pas venir et, pourtant, dès que je la vois, je sais qu'elle m'attendait au quart de seconde. Elle me tourne le dos, à genoux sur la banquette - pas par terre. Elle plie le cou pour me regarder en arrière, toujours avec ce visage de prière avide, urgente, intraitable, que je lui ai vu dans le couloir, et que j'ai retrouvé sur moi dans la glace de la salle de bains. Simultanément, nous nous rendons compte, moi qu'elle a débouclé la ceinture de son jean et déboutonné la braguette ; elle, que j'ai de nouveau, comme hier soir, le sexe battant à l'air. Tout de suite après cette découverte réciproque, nos regards se relèvent pour échanger un message de gratitude également réciproque, pour moi redoublé, multiplié : un milliard de mercis pour ton merci.

J'étais dans un état second. Vivre devenait un pur plaisir de chaque poussière d'instant. Ça ressemblait à ce qu'on doit ressentir sous l'effet de la drogue. Je ne connais pas la drogue, mais quel intérêt si ça ne ressemble pas au désir avoué et partagé ? En fait, ça m'étonnerait que ce soit aussi bon, aussi intense et surtout aussi fabuleusement gratuit, aussi beau cadeau !

Je traverse la pièce en deux enjambées, et je tombe moi aussi à genoux. Mais moi, par terre. Juste derrière Muriel toujours agenouillée au bord de la banquette.

Je retenais encore mon jean d'une main. De l'autre, je m'appuyais au dossier de la banquette de façon à tourner les épaules en arrière, de côté, sans perdre l'équilibre. Je voulais vérifier qu'il avait pris sa jolie grande belle queue de garçon charmant dans sa main, sitôt à genoux, et qu'il se masturbait haut et fort. Une fois rassurée sur ce point, je me suis redressée, j'ai lâché le dossier et, gardant toujours la tête tournée en arrière afin de bien montrer que je faisais cela pour lui, et qu'il devait bien regarder, bien enregistrer, bien se régaler, j'ai saisi les bords de mon jean à la taille et je l'ai descendu tant bien que mal en creusant le dos, sortant la poitrine, balançant légèrement les hanches et tendant les fesses.

Je voulais le faire profiter pleinement de cet instant où une femme baissait son pantalon pour lui, mais mon impatience l'emportait. Impossible de faire durer. J'avais trop hâte de quitter ce tissu rugueux et lourd, et de me sentir vulnérable, offerte, choquante.

Ça va vite, je n'ai pas le temps de me préparer au choc toujours neuf. Ce que je vois tout de suite, c'est qu'elle a la peau douce, la chair tendre et, comme je m'y attendais, un modelé incertain, succulent, de nu impressionniste. Comme elle est grande et bien proportionnée, rien ne paraît trop volumineux. Comme couleur, c'est dans les roses, beiges et mauves en pleine lumière grise.

Bon, pour cette fois, je n'aurai pas les bas et le porte-jarretelles, ce n'est pas grave, je ne suis pas un pervers, je peux me passer de n'importe quoi du moment que le désir est déclaré. Et je suis consolé par la culotte idéale qu'elle a enfilée ce matin avec son jean. Faite de dentelle et de volant sur les bords comme pour une grand-mère, et pourtant moderne et jeune. Cent pour cent polyamide, peu importe, c'est peut-être encore mieux, plus fin, souple et glissant. Mousseuse, légère, claire, mince, ample et pourtant succincte, étroite, souple, échancrée très loin, accrochée très haut sur les hanches où tombe le gros pull. Elle lui rentre librement dans les fesses et me fait penser aux napperons de papier dentelé qui dépassent des gâteaux dans les grandes pâtisseries.

Je me suis appuyée de nouveau d'une main en haut du dossier, *un peu* penchée en avant tout en me cambrant *énormément*. De l'autre main, je continuais à baisser mon jean sur mes cuisses, le dos tout tordu.

Je ne sais plus où j'en suis. Je pense que je dois continuer à me masturber, c'est ce qu'elle désire, c'est sa protection pour s'exhiber – on se doit d'être à égalité dans le pas convenable.

S'il existe quelque chose de féerique dans la vie masculine adulte, c'est de se masturber ouvertement devant le vrai cul féminin provocant d'une fée bien apparue, bien réelle, à la place d'une image ou d'une pensée. Et pourtant, parole d'homme ébloui, ce dont j'aurais le plus envie en cet instant, c'est d'avoir les deux mains libres. D'une seule, je l'aide à faire passer le pantalon sous un genou, puis sous l'autre genou, puis à le tirer des chevilles.

Le passage des boots a été délicat. Je n'avais aucune envie qu'il me les ôte, et je pense que lui non plus. C'est lui-même qui me les a retenus successivement.

Dès que j'ai eu les jambes libres, j'ai déplacé les genoux – je les ai écartés tout en les portant à l'extrême bord de la banquette. J'avais ainsi les fesses encore plus rondes et détachées. Je devais continuer à me retenir d'une main au dossier de la banquette pour ne pas tomber en avant ou en arrière.

Mon autre main, je me la suis mise à la taille en soulevant mon gros pull. Et je me démanchais la caboche pour garder le visage orienté vers Loïc autant que je pouvais. Je le regardais faire, c'est-à-dire se caresser en me regardant. Il se retenait fermement à ma cheville comme on tient la main de quelqu'un pour se rassurer.

Je sais ce que c'est, se masturber. Je devinais à peu près ce qui se passait en lui. Je faisais l'expérience du désir masculin à l'état brut. Moi, je ne me caressais jamais en imaginant un homme nu en train de s'exhiber. Peut-être avais-je tort, d'ailleurs, mais c'était comme ça. Je m'imaginais plutôt m'exhibant à un homme que ça rendait fou. En fait je n'osais jamais, même seule en rêve éveillé, m'exhiber aussi crûment. Je manquais de confiance. Pas en moi, en l'autre. En l'homme et en sa folie de la femme.

Je ne jouais pas précisément à Loïc le fantasme qu'il m'avait décrit. J'allais au plus vite, au plus court : je voulais être, moi, son fantasme. Je voulais qu'il se masturbe en me regardant, c'est tout. Je ne voulais pas l'exciter par mon comportement mais simplement avec mon corps déballé comme une marchandise offerte à qui me plaisait. Je me montrais à fond. En tout cas, je savais qu'il me fallait non seulement me montrer mais aussi montrer que je me montrais pour mon plaisir – celui de l'exciter, d'être désirée, mais aussi celui, peut-être encore plus trouble et plus profond, de me sentir indécente. J'essayais de lui faire comprendre : « Regarde, c'est pour toi, et ton désir m'excite. » Je tâchais de ne pas avoir peur de l'exciter avec mon corps ou, disons plus franchement, avec mon cul, moi la flambante qui me régalais du mot en secret. Loïc avait sûrement assez vécu pour savoir que toute femme veut aussi et surtout allumer les hommes avec son âme – et la mienne était là, cramoisie, qui disait : « Je t'offre mon cul, régale-toi, je me régale de te l'offrir. »

Je ne sais pas comment l'exprimer autrement : je vis un conte de fées, et j'espère que tout, dans mon attitude et sur mon visage, le dit à Muriel aussi distinctement qu'un livre d'images. Je suis un petit garçon ébahi, ébloui, allumé comme une pomme de pin.

Ça va trop vite, il faut que je l'empêche de faire tout de suite ce qui me fera le plus plaisir : elle lâchera le dossier et plongera en avant, la tête dans les coussins, les bras jetés de part et d'autre, m'invitant à lui baisser moi-même sa culotte dans cette position. Lui ai-je dit ou non mot à mot que, dans mon fantasme, je lui baisse moi-même sa culotte, elle à quatre pattes devant moi ? Je ne m'en souviens plus. Non, je ne le lui ai pas dit, pour la bonne raison que je l'imaginais avec sa jupe, ses bas, et pas de culotte. Tant pis, j'interviendrai au besoin, mais ça, je l'aurai : je la lui baisserai moi-même, elle à quatre pattes devant moi. Je ne peux pas y renoncer. Le petit garçon qui brûle aime trop cet instant. Mais je devine qu'elle a deviné. Non seulement elle se laissera faire mais elle m'y amènera d'une manière ou d'une autre. Elle m'apprend à prendre mes désirs pour des réalités, en me démontrant que ça marche. Ou alors je n'y comprends plus rien. Je crois que ça ne se voit pas, mais j'ai les larmes aux yeux. En tout cas, je veux prendre mon temps.

Cela se passait en plein jour, avec la pluie dehors. Ni musique ni alcool. Non seulement je ne me serais jamais dérangée pour aller retourner une cassette, mais je n'avais même pas pensé une seule seconde à en mettre une.

Je ne veux pas qu'elle plonge tout de suite en avant. Elle regarde alternativement mon visage et mon sexe sur lequel ma main coulisse plus ou moins lentement. Je choisis un instant où nous sommes les yeux dans les yeux pour lâcher mon sexe, et lâcher sa cheville bottée. Elle sait que je ne me dérobe pas. Je n'essaie pas de lui dire quoi que ce soit du regard. Elle voit tout. Elle sait ce que je pense, je ne peux rien lui cacher. Entre elle et moi, maintenant, il y a une délectation de l'indécence, de la mise à nu l'un pour l'autre, physiquement et moralement, qui nous rend transparents. Quand j'étais petit, on me disait que je pouvais toujours essayer de mentir - la vérité était écrite sur mon front. On aurait mieux fait de m'apprendre que je pouvais avoir confiance en les jeunes femmes en culotte pour y voir clair sur mon compte.

Je pose une main de chaque côté de ses hanches et j'approche le visage. C'est au programme depuis une quinzaine d'années. Ça tient pour toujours.

Il me tenait à deux mains, je me sentais solide. J'ai lâché le dossier de la banquette, je me suis redressée, mes deux mains à moi sur ma taille, juste sous mon gros pull, et j'ai fermé les yeux.

Elle est nouvelle pour moi, la façon dont mes lèvres se posent sur les fesses de Muriel, appuient, relâchent, vont plus loin recommencer. Dès qu'elles se posent, mes yeux se ferment. Je sais ce qui se passe. Je ne peux plus séparer le plaisir et l'émotion. Je veux les deux à la fois. Les recevoir et les donner. Je fais comme Muriel hier soir quand elle couvrait de baisers ma verge en érection. C'est comme si elle m'avait jeté un sort : « Il ne te suffira plus qu'une femme soit brûlante comme l'eau de son cumulus. Tu exigeras qu'elle soit tendre comme ce que tu ressentiras envers moi en te glissant dans le bain que je te ferai couler. » J'étais d'accord et donc j'étais cuit. Quand on accepte cela, on se retrouve obligé de faire pareil. Elle devait penser que j'en serais capable. Et maintenant, c'est comme si je lui disais à mon tour : « N'accepte plus jamais de faire l'amour à la dure. »

Il me couvrait uniformément de baisers comme si je n'avais pas eu de culotte. Mais quand ses lèvres et sa langue passaient de la peau douce au tissu soyeux, et inversement, ça faisait une différence frissonnante.

À chaque baiser, je lui serrais doucement les hanches entre mes chevilles, et je réglais ma respiration de façon que mon essoufflement lui apparaisse rythmé par lui. C'était très loin d'une comédie.

Tout en bas, là où commencent les fossettes des cuisses, il y a des endroits pour ma bouche à en perdre à jamais toute méchanceté, tout ce qui n'est pas l'amour au sens large et généreux.

Quand j'avais quinze ans, j'aurais tellement voulu tomber sur un livre où j'aurais lu : tes pulsions sexuelles prétendues les plus inavouables correspondent aux plus belles choses en toi.

Puis la différence ne m'a plus émoustillée. J'ai attrapé ma culotte par la ceinture sur mes hanches et j'ai tiré vers le haut tout en me dandinant légèrement pour que ça me rentre davantage dans les fesses, afin d'offrir plus de peau nue à ses lèvres et à sa langue.

Je me dépêche de l'aider. Je glisse deux doigts sous les bords des « jambes » de la culotte – de jambes il y a moins que rien et ce serait plus exact de dire « les cuisses », ou même « les fesses » de la culotte – et je tire attentivement vers moi dans l'intention de libérer d'abord tout le tissu emprisonné. C'est une sensation incomparable dans les doigts, ces fesses fabuleuses de jeune femme au physique épanoui qui laissent filer et se défroisser le fin tissu. Ensuite je le plisserai verticalement pour le laisser entrer de nouveau, et bien davantage, sous l'effet de la traction vers le haut.

J'ai arrêté de tirer et même redescendu un peu les mains afin de lui laisser prendre plus d'ampleur. Il maintenait ma culotte tirée en arrière, écartée de moi. Je sentais la caresse de l'air frais.

Juste devant mon visage, la culotte élargie et tendue fait écran entre mon regard et ce qui est si bon à voir. Mais c'est bon aussi, une frustration sur le point de disparaître, comme quand on meurt de faim une demi-minute avant de passer à table.

Puis nous avons commencé, moi à remonter ma culotte, lui à la relâcher en resserrant verticalement, si bien qu'il en est entré peu à peu beaucoup plus. En moi-même, je ne savais plus où me mettre et c'était une émotion si délectable que je l'éprouvais en fait comme une sensation dans tout mon corps, comme quand on rougit ou qu'on a le frisson. Là, c'était comme un engourdissement qui ressemblait à celui de l'embarras et de la honte, mais voluptueux. Et j'en voulais encore. Ce n'était pas terminé. Bien plantée sur mes cuisses écartées, je tirais toujours à deux mains ma culotte vers le haut. Il a vite compris.

Je pose les mains bien à plat, une sur chaque fesse, mais ce n'est pas pour appuyer. Je les lui écarte tout doucement, Muriel tire vers le haut et, quand je les laisse revenir l'une contre l'autre, la culotte a presque entièrement disparu, à la façon d'un string. Il n'en dépasse que les bords en volants. C'est le plus bel escamotage de foulard que j'aie jamais vu, mais je sais où il est passé et c'est encore mieux, comme tour.

Sans lâcher sa culotte, Muriel plonge en avant, la tête dans les coussins.

Elle lâche sa culotte et, des deux bras, dégage les coussins.

La banquette est large et profonde mais Muriel est grande et superbe et, même en envoyant promener les coussins et en gardant les genoux tout au bord, il lui faut, en posant le visage et les épaules, les bras jetés de part et d'autre, reculer fort l'échine vers moi si elle veut creuser le dos et tendre les fesses au maximum. C'est ce qu'elle fait.

Je me sentais encore un peu protégée, un peu cachée. Si mince et entortillée qu'elle fût à présent, ma culotte était encore un obstacle entre les yeux de Loïc et le plus intime de mon corps. Pour le moment, ça me donnait la liberté d'accentuer la pose au maximum, et j'en étais heureuse.

Tirée et chiffonnée comme ça, une culotte de fille rend les fesses de fille encore plus féminines. Les deux volumes n'en paraissent que mieux détachés, plus saillants et proéminents. Ensuite, Muriel est très brune. Les poils dépassent généreusement et cela touche en moi un point faible et sensible comme en ont tous les hommes, comparable aux zones érogènes dans le domaine physique.

En bas, dans l'ovale des grandes fossettes, la culotte est si serrée, si réduite à une tresse de soie, que les grandes lèvres s'en échappent de part et d'autre, mauves, noires, gonflées, charnues, touffues, plantureuses.

On dirait que tout le programme de développement sexuel a été légèrement surcalculé, surdimensionné chez Muriel. Sa vulve est aussi émouvante que ses cuisses : un rien trop pulpeuse et rebondie, c'est-à-dire atteinte de l'euphorisante exagération ordinairement propre à l'imaginaire.

J'étais comme j'avais voulu être – offerte le plus possible avec un petit bout de dentelle – et, pendant de longs instants, Loïc n'a plus rien fait d'autre que se masturber régulièrement en regardant. Je m'arrangeais pour ne pas risquer un seul instant de ne pas voir son visage. On aurait dit un comédien de talent immense comme il y en a deux ou trois par génération, qui vous fait éprouver ce qu'il veut comme ça lui chante.

J'ai toujours rêvé de faire l'amour en gardant le sourire, avec une femme qui garderait le sourire, mais ce ne sera pas encore pour aujourd'hui. Elle me regarde avec un sérieux qui touche à la gravité, et je me sens moi-même une expression quasi tragique dont j'ai presque honte et dont je ne pense pas pouvoir me défaire pour un bon moment. Mais je me trompe. Je sens la douceur revenir quand j'approche de nouveau la bouche. Comme tout à l'heure, je ne peux pas m'empêcher de lâcher mon sexe pour prendre à deux mains ce qui est là pour moi.

Il s'est remis à m'embrasser, longuement et aux deux sens du verbe : tenir dans ses bras et dévorer de baisers. J'avais vingt-huit ans et personne encore n'avait jamais tenu comme lui mon cul dans ses bras. Longuement, mais en deux minutes j'étais en feu.

Dans cette position, j'ai encore plus l'impression de tenir entre mes mains le seul trésor qui vaille toute la tendresse du monde. Je veux dire que, si Muriel m'apprend l'amour au féminin, j'espère que je lui montre au moins, mais aussi fort, la vénération masculine pour le derrière des filles.

Au point le plus proéminent des fesses, c'est là que ses baisers étaient le plus avides, le plus goulus, le plus fervents, le plus adorables. Ça paraissait fait pour y mettre à la fois les lèvres, la langue et les dents. Quand il mordait doucement en descendant, en se laissant glisser au beau milieu, j'étais près de défaillir.

Ce que j'aime le plus, c'est quand ma lèvre inférieure descend, descend, descend sur l'une des deux « joues » *internes*. La chair change, devient plus sensible, plus secrète. La peau devient plus satinée et, soudain, ma lèvre effleure les petits poils frisés. Je continue. Je mets les deux lèvres. Au bord de la culotte en torsade, c'est ma langue qui se fraie un chemin et... l'auréole à la fois lisse et froncée... je...

Ça me tapait dans la tête. Je n'étais plus émue, j'étais affolée. Je gémissais, je haletais, par moments je devenais sourde aux gémissements de Loïc, à d'autres moments je les entendais plus fort que les miens, puis, de nouveau, je ne les entendais plus.

Au bout de je ne sais combien de temps, elle joint les cuisses en levant l'échine encore plus haut, le vallon des fesses presque aplani, grand ouvert vers le plafond. L'auréole dépasse large-

142

ment. J'ai les lèvres qui tremblent. J'ai l'impression d'embrasser Muriel à nu, à vif. Je ne peux pas y tenir longtemps.

Ma bouche descend dans les creux et renflements des cuisses et des grandes lèvres. C'est un autre univers où le difficile est de garder un esprit d'amour tendre. Ce n'est plus embrasser mais dévorer, lécher, sucer, s'en donner à bouche que veux-tu.

J'ai fini par me laisser tomber sur le côté. Il m'a attrapé une jambe au vol et me l'a fait passer au-dessus de sa tête, et je me suis retrouvée affalée sur le dos dans les coussins, les jambes grandes ouvertes, les pieds par terre.

C'est fou comme des hauts-talons peuvent vous surélever les genoux ! Je me suis installée confortablement, non sans modifier de nouveau la disposition de ma culotte : je l'ai fait descendre un peu, ça me serrait trop où on est le plus sensible. Et puis ça me faisait plaisir d'avoir le sexe très légèrement masqué devant lui, afin que ses baisers restent plus chauds et tendres que lubriques et désordonnés. Je savais ce que c'était que tout oublier pour se goinfrer.

Elle aussi a perdu sa gravité. Elle semble heureuse, détendue, gourmande. Écarter les cuisses le plus possible semble avoir le pouvoir de lui faire venir un sourire de jubilation béate, les yeux à demi fermés, son gros pull remonté sur le ventre.

Je me sentais bien comme ça, totalement indécente encore d'une autre façon, engoncée dans mon gros pull et répandue dans les coussins. Sans la crainte de retomber en enfance du haut du ciel des grandes personnes, j'en aurais bien sucé mon pouce et pris mon pied dans ma main.

Je me promets de revivre exactement la même scène d'ici environ vingt minutes, mais Muriel sans culotte, abandonnée de la même façon.

Je me jette sur ses cuisses. « Je », c'est encore et toujours ma bouche. D'abord sur celle de droite. Je veux tout, depuis les plis sous les genoux jusqu'à la dune incroyable surplombant la grande fossette de toutes les nostalgies, juste avant le double renflement qui rend fou, exactement entre les deux jambes. J'embrasse Muriel au beau milieu à travers sa culotte. Je passe un bras sous sa cuisse gauche, lance l'autre par dessus sa hanche et je la tiens bien tout entière – du moins toute la moitié du bas. Et je l'embrasse comme si je l'embrassais sur la bouche, comme si on était enlacés sous les étoiles. Le tissu est trempé, elle m'embrasse autant que je l'embrasse, on s'embrasse elle autant que moi. Je ne comprends rien à ce qu'il y a sous ma bouche à travers le tissu très mince. C'est creux et charnu mais, surtout, c'est doux, tendre et chaud, et on y perd vite ou lentement, on ne sait plus, la notion du temps. C'est trop difficile à comprendre parce que ça représente trop de choses à la fois en soi-même et en l'autre personne. En moi-même, je ne suis plus qu'une immense bouffée de parfum sucré-poivré, nacré, de cuisine tahitienne.

Ça dure longtemps. J'ai l'impression qu'elle chantonne à bouche fermée. Dès que j'y pense, je lui mange longuement l'autre cuisse, et ainsi de suite, en revenant toujours aux mêmes endroits inépuisables. Je n'aurai jamais fini avant l'été. Je me rends compte à quel point j'avais faim et soif, combien j'étais en manque sans le savoir, comme si j'avais fait semblant de boire et manger des filles, jusqu'ici, dans ma vie.

Il m'en a fallu, du temps, pour que je pense à cesser de me faire complètement passive. C'est-à-dire que, soudain, je n'ai pas pu m'empêcher d'aider Loïc à faire ce qu'il fallait. J'ai glissé les mains sous mes cuisses, près des genoux, et j'ai soulevé, ramenant ainsi les genoux aux épaules. Je l'ai entendu gémir et il s'est jeté sur le nouvel espace que j'ouvrais ainsi à sa bouche – comment dire ? – plus bas, par-dessous... Dans sa façon de gémir et de se précipiter, j'ai perçu très clairement le bonheur que je lui donnais en relevant, de moi-même, les genoux le plus haut possible. Ça m'en a donné aussi. J'étais aux anges comme une petite fille qui lève sa robe pour ensorceler un petit garçon, surprise et fière de se découvrir un tel pouvoir.

Au bout d'un très, très long moment, je n'en peux plus de ce tissu. J'attrape Muriel par une cheville et je fais tourner avec précaution, en arrondissant largement le mouvement. Elle se retrouve très vite le derrière en l'air. Elle se dépêche de se mettre en équilibre, les cuisses jointes, l'échine presque verticale, la tête et les épaules dans les coussins. Je lui attrape sa culotte des deux côtés, sur les hanches.

Il faudrait me tuer pour que je donne ma place et, pourtant, je ne peux pas m'empêcher de penser à ce qu'elle peut éprouver, elle, et de l'envier. Une autre fois, je le lui avouerai, si j'en ai le courage.

Je glisse le bout des doigts sous l'élastique de la taille et je lui baisse sa culotte, avec ferveur, avec délice, avec l'impression de prendre possession d'une part de moi-même dont je vis séparé le plus clair du temps. Ça s'appelle : dévoiler l'objet de son désir. Il y a l'objet, il y a le dévoilage, une chose aggravant l'autre au fur et à mesure.

Il m'a baissé ma culotte avec toute la lenteur dont il était capable. Je le comprenais. Ça allait encore trop vite, et le plus beau est que ça va aussi trop lentement, pour l'autre comme pour soi. Je sombrais comme une lourde cochonne dans cette bombance de complicité, nouvelle pour moi. Dans une demi-seconde ou une autre, je n'aurais plus rien à cacher. Rien de rien. Je croyais connaître l'indécence entre femme et homme, mais pas étourdissante et irrémédiable à ce point. Pourquoi aimais-je tant ça sans le savoir ? Ce n'est pas seulement l'indécence. Aussi l'intimité absolue.

Chaque fois, c'est comme si on vous disait : « Voilà, tu en as longtemps rêvé, tu l'as espéré, attendu, et c'était vrai, regarde, non seulement je

146

suis une fille, je t'en donne la preuve, mais je ressens un plaisir ahurissant à te *donner* cette preuve. »

Pourquoi j'aime tant ça ? Pourquoi est-ce encore meilleur que les œuvres d'art ? Qu'est-ce que ça rappelle, comme paradis ?

On ne peut rien m'offrir qui me fasse tant plaisir. C'est tout ce que j'aime à la fois, le plus doux et le plus cru, tendre et provocant, dru et féminin, délicat et voyou, grossier, raffiné, érotique et sentimental.

C'est tellement féminin comme dessin et comme grain que ça vous rappelle toutes les petites et grandes filles dont vous êtes jamais tombé amoureux depuis votre première boîte de crayons-feutres. En même temps, c'est tellement indécent que ça comble en vous toutes les plus amères frustrations du mammifère mâle en société civilisée, ou quelque chose d'approchant et d'essentiel.

Il s'est jeté dessus des mains et de la bouche. J'avais encore ma culotte à mi-cuisse et, même ainsi, sans pouvoir écarter les genoux, je gardais une dernière possibilité de m'offrir encore un peu plus – creuser le dos, tendre le cul, ouvrir les fesses. « Tendre le cul », c'était aussi : tendre, le cul. Plus tendre que je ne l'aurais jamais imaginé quand je me disais le mot en secret.

Ce supplément de mouvement vers lui, vers ses yeux et ses lèvres, ne lui a pas échappé. Je ne saurais pas qualifier le gémissement qu'il a eu.

147

Pour un observateur froid – qui n'avait aucune chance d'être là, Dieu merci –, ce devait être absurde à entendre. Mais Loïc a gémi comme il voulait. Je lui en donnais assez le droit.

Avec mes lèvres et ma langue, je me sens un pouvoir démesuré sur elle. Je la fais défaillir avec un millimètre de déplacement, un gramme de pression. Elle ne peut pas rester la tête dans les coussins. Elle se redresse en appui sur les bras, tête pendue, cheveux devant les yeux, épaules levées, dos creusé comme on ne le croirait pas possible. Elle a des gémissements inouïs que je déclenche à volonté.

Je n'osais plus bouger. Bien longtemps plus tard, il a pensé à me retirer ma culotte des cuisses, des genoux et des chevilles, et j'ai pu écarter tout ça de plus belle. De plus en plus belle. Dans la position où j'étais maintenant, il avait tout de moi à lui. Tout de soi, c'est ce qu'on cache aux autres.

Mais quelque chose d'autre commence à me manquer insupportablement. Ça vient de loin. Je me demande même de quoi il s'agit. Je suis déjà tellement comblé que je n'arrive plus à imaginer quoi que ce soit d'autre qui me ferait encore plus plaisir. Mais si. Sa poitrine pourtant si importante. Je l'avais oubliée !

Aussitôt, plus rien d'autre ne m'intéresse. Et je suis pressé. Je me redresse et je me relève sans perdre une seconde. Je respire d'une façon qui signifie : urgence. Muriel ne s'affole pas. Elle se redresse dans le même mouvement. Un instant, je suis agenouillé derrière elle au bord de la banquette. Je perds un déluge de secondes. Je lui enlace la taille. Je l'embrasse dans le cou et dans les cheveux, dans les oreilles. Mon autre main descend sur son ventre et, comme elle a toujours les cuisses très écartées, je prends son sexe à pleine main. C'est encore plus trempé, glissant, brûlant qu'avec la bouche. C'est gros, c'est grand ouvert, c'est un délice et une beauté. Mais je n'oublie plus les seins. Ma pensée est bloquée. Je comprends ce que signifie « obsession ». Je veux les seins de Muriel. J'en suis malade (névropathe).

Je la lâche et je fais le tour – en fait sans la lâcher, en m'écartant le moins possible. Mes mains glissent le long de son bras, trouvent sa main et la tiennent.

Là où elle avait déblayé les coussins pour se jeter en avant la tête la première, je m'installe face à elle, assis plus ou moins sur mes talons. J'ai un fragment de poème dans le cœur : *Les mains dans les mains, restons face à face, tandis que, sous le pont de nos bras...* Muriel m'apprend sans le vouloir à être romanesque même pour une aventure purement érotique, ou l'inverse, érotique pour une aventure purement romanesque, qu'est-ce que j'en sais ? Je veux voir ses seins gros et lourds.

Et les yeux dans les yeux. C'est elle qui finit par me lâcher les mains. Elle est magnifique, agenouillée face à moi, cuisses écartées, haut en gros pull, bas nu, cheveux n'importe comment. Je suis fou d'elle, en un sens, à la vie à la mort.

Elle me déshabille. J'avais toujours son sacré peignoir sur le dos, pans écartés, ceinture nouée. Elle m'enlève tout ça. Elle me fait soulever pour me dégager les épaules, et je me sens beau comme un diable, déshabillé, le sexe en avant. Elle sourit et je fonds. Elle me repousse avec force, je tombe en arrière, elle se penche en avant et elle enrobe mon sexe de sa bouche avec une chaleur et une - une quoi ? - une bonté, la sienne, inépuisable.

Je lui caresse les cheveux. Elle ne s'installe pas pour longtemps. C'est juste une caresse en passant, en douce, pour me dire qu'elle n'aime pas seulement se laisser faire et que, si je demande, je recevrai.

Il me caressait les cheveux en faisant ses mains légères, de façon à me faire comprendre qu'il ne demandait rien, ne m'obligeait à rien, et j'en raffolais. Je me sentais la tête aussi légère que ses mains.

J'avais été obligée de reculer encore plus le corps pour que mon visage vienne à hauteur de son sexe, et j'ai fini par devoir descendre une jambe, poser un genou sur la moquette. Je gardais l'autre genou sur la banquette, et j'ai pensé brusquement que Loïc aurait adoré me voir comme ça - je veux dire par-derrière. Ça m'a incendié les tempes et j'ai failli me lancer dans une démence de dévoration comme cela m'était arrivé la veille au soir, si fort pour la première fois. Donc, ça recommencerait, ça reviendrait, je le referais. Tout ce que nous avions éprouvé ensemble était inscrit en moi et me deviendrait naturel et indispensable. J'ai eu une bouffée de gaieté. Je me sentais libre et insouciante en plein délire.

Je la prends aux épaules et je l'attire, l'amenant à se redresser. Je veux qu'elle soit comme tout à l'heure, bien campée sur ses cuisses écartées, agenouillée face à moi sur la banquette. Elle le comprend immédiatement. Elle me sourit en s'ébouriffant les cheveux, les coudes en l'air. C'est un sourire que je reconnais, bouche ouverte, lèvres légèrement enflées et distendues. On dirait qu'elle ne veut pas oublier trop vite la sensation de mon sexe dans sa bouche et que, pour cela, elle évite de la refermer sous prétexte qu'elle ne peut pas s'empêcher de sourire.

Je profite du fait qu'elle remonte la jambe pour allonger les miennes sous elle. Ainsi, elle me chevauche, mais je ne suis pas couché sur le dos. Je suis à demi assis dans les coussins. Je l'attrape par les cuisses et je l'attire encore, je la fais bien remonter. Je suis ravi : j'ai trouvé la meilleure position. Muriel sait ce qui l'attend. Elle garde les mains derrière la tête. Je lui mets les miennes à la taille. Dans l'attitude où elle est, ses seins lui soulèvent son pull et le passage est libre.

Je sais dans quel état elle est. Il me suffirait de

mettre mon sexe à la verticale. Elle se soulèverait juste ce qu'il faut et elle redescendrait sur mon sexe qui disparaîtrait comme une fleur, de bas en haut dans son ventre. Non, pas comme une fleur. Comme *dans* une fleur, celle de ses petites lèvres gonflées en corolle. C'est une vision que j'aime beaucoup, passionnément et à la folie. Mais je résiste à cette tentation. J'en ai une autre et je me sais incapable de céder à tout à la fois.

Mes mains commencent à remonter sous le pull, sur la peau nue. Muriel ne veut pas qu'elles atteignent son soutien-gorge. Ce n'est pas pour me priver de quelque chose mais au contraire, une fois de plus, pour me donner ce que je préfère. J'aimerais être à sa place pour savoir aussi facilement ce qui fait plaisir à l'autre. Je lui donnerais tout ce qu'elle voudrait.

Elle baisse les bras et envoie ses propres mains sous son pull, bien devant moi. Et j'assiste alors au tour de passe-passe éblouissant qui consiste à ôter son soutien-gorge sans ôter son pull, ou son chemisier, ou son T-shirt. Elle se le dégrafe par-devant sous son pull et hop ! elle vous le sort de la manche comme un bout de chiffon en trop qui n'avait rien à faire par là.

Donc, ça y est, elle a les seins libres sous son pull. Ce n'est plus du tout la même chose.

Ils ne soulèvent plus le pull, qui paraît trop lourd, qui tombe dessus et paraît les écraser. Ils ont l'air encore plus gros. En tout cas, tout en étant moins élevés, ils prennent encore plus de place. Le pull a beau être gros, il ne peut pas estomper leur forme. Il les moule avec une précision de soie mouillée.

Muriel a relevé les bras, remis les mains derrière la tête. Libre à moi d'aimer. Si elle savait comme ce n'est jamais assez gros quand on commence à y penser sans se raconter d'histoires ! Il faut absolument que je l'en persuade, non avec des discours mais en lui montrant l'effet que ça fait. Je n'y arrivai que sans le vouloir, en me laissant aller.

Sans faire exprès, je ne les quitte plus des yeux.

Muriel descend les mains dans son cou, puis, lentement, sur le haut de sa poitrine. Chaque main descend très lentement vers chaque sein. Elles s'arrêtent à l'endroit où la pente n'est plus abrupte mais douce. Elles descendent encore de deux ou trois centimètres. Elles s'arrêtent. Et les doigts se mettent en mouvement sur place pour remonter la laine. J'imagine le passage du tricot sur les mamelons. Le bas du pull remonte comme un rideau.

Ils surgissent encore plus bas que je ne m'y attendais. Si Muriel le savait, elle serait catastrophée. Je les trouve encore plus sensationnels que prévu. Encore plus seins, encore plus fille, encore plus irréels.

L'instant béni où les pointes apparaissent sous le bord du pull est très important. On passe du rêve à la réalité, qui deviennent un seul et même univers bienheureux comme sous l'effet d'une brillante petite bille qui se bloque toute seule sur votre numéro.

Je lui en veux un peu de libérer les deux pointes en même temps. J'aurais préféré l'une, puis l'autre. Ça m'aurait donné double plaisir. D'un autre côté, les deux à la fois, ça fait double gros lot.

Ils m'apparaissent peu à peu dans leur totalité. Leur forme leur est donnée par leur poids, on dirait des gouttes de pluie géantes. Et c'est vrai qu'ils n'appartiennent pas à Muriel : ils n'entrent pas dans la ligne de son corps. Ils sont en plus. Ils existent en eux-mêmes, détachés d'elle. Je comprends qu'elle les trouve parfois gênants à porter indéfiniment devant elle, mais il est impossible qu'elle n'en soit pas fière, et elle-même troublée, par moments. Elle ne peut pas non plus ignorer la qualité des regards qui s'y attachent, ne serait-ce qu'au bureau. Elle me voit en ce moment.

Maintenant, ses doigts ont saisi le bord du pull. Ses mains passent l'une devant l'autre, ses bras se croisent. Le pull monte en l'air et lui passe par-dessus la tête. Elle le jette derrière elle. Elle garde les mains derrière la tête, les coudes en l'air.

Je ne veux pas y mettre les mains tout de suite. Je me redresse en appui sur mes bras tendus en arrière. Les yeux et la bouche, mais aussi tout le visage. Les yeux ouverts, je veux me cogner comme un aveugle.

Je suis trop occupé. Elle, Muriel proprement dite, je l'oublie. Tout d'un coup, je m'aperçois qu'elle bouge. Elle se soulève un peu de côté. Elle opère vite et bien. Elle redresse mon sexe, le place exactement où il faut par rapport à l'axe de toute sa personne, puis elle se laisse descendre d'une seule traite. Je lève les yeux juste à temps pour voir ce qui correspond, sur son visage, à cette descente. Elle aussi m'oublie. Je ne sais pas comment son visage me révèle que ses seins ne sont pas seulement volumineux mais hyper-sensibles.

Je vais avoir du mal à tenir le coup. Il faut que j'évite de regarder vers le bas. Je me laisse aller en arrière et je lève les bras, je tends les mains. Et j'ai beau me sentir loin d'être rassasié de voir, je ne peux pas m'empêcher de fermer les yeux pour me concentrer sur ce que je ressens dans les mains.

Elle prend le contrôle. Elle m'attrape aux épaules et elle me fait basculer de côté. Elle veut que je sois à plat dos, pour se courber en avant. Je me laisse faire avec la meilleure volonté dont je me sois jamais cru capable.

Quand on fait bien l'amour, tout paraît être la première fois. J'ai tout le temps envie de penser : ça n'a jamais été si bon, je ne savais pas que ça pouvait être si bien, je ne savais pas, je ne savais rien...

Je suis allongé sur le dos dans le sens longitu-dinal de la banquette. Muriel est en appui sur les

Samedi, 17 heures 30

La nuit était tombée sans qu'on le sache. Il n'y avait rien d'allumé, mais j'y voyais. Loïc avait sur le visage un air tendre et attentif dont il ne semblait pas conscient.

J'étais morte sur lui. Je ne sais pas comment il a pu retrouver mon peignoir au bout de son bras sur la moquette, mais le fait est qu'il me l'a étalé sur le dos. Je me tenais à son cou comme si je dormais dans un arbre au cœur de la jungle inextricable du XXe. Puis il a fait passer les coussins au-dessus de moi, d'une main à l'autre, et les a jetés par terre afin de faire de la place à sa gauche, côté dossier – à sa droite je serais tombée dans le vide. Il m'a fait basculer avec plus d'égard que je n'en avais jamais ressenti dans des cas semblables. L'instant où son petit bout de bonhomme est sorti de mon petit creux de bonne femme a été quelque chose de rien du tout, mais à vous en empêcher de dormir quand vous y repensez librement, une fois seule.

Je ne sais pas si la nuit était vraiment tombée

ou si nos yeux ne prenaient plus la lumière, ou si le temps était à l'obscurité deux heures avant le coucher du soleil.

– Muriel...

Deux syllabes, ça va. Vous aimez la gentillesse, renversez la tête.

– Oui, Loïc ?...

Vingt minutes ont dû passer ensuite.

– Il fait nuit ?

Comme si on était restés voisins dans une petite rue depuis l'âge du premier cartable.

– Oui.

Il me tenait dans ses bras.

ACHEVÉ D'IMPRIMER EN AVRIL 1993
SUR LES PRESSES DE L'IMPRIMERIE HÉRISSEY
POUR LE COMPTE DE FRANCE LOISIRS
123, BOULEVARD DE GRENELLE, PARIS

Imprimé en France
Dépôt légal : avril 1993
N° d'imprimeur : 60693 – N° d'éditeur : 26027